WERNHER DER GÄRTNER

Meier Helmbrecht

VERSNOVELLE
AUS DER ZEIT DES NIEDERGEHENDEN
RITTERTUMS

ÜBERTRAGEN VON JOHANNES NINCK

PHILIPP RECLAM JUN. STUTTGART

Universal-Bibliothek Nr. 1188
Alle Rechte vorbehalten. Gesamtherstellung: Reclam, Ditzingen
Printed in Germany 1987
ISBN 3-15-001188-4

I

Ein verlorener Sohn verläßt
das Vaterhaus

Der kündet, was er hört und sieht,
Der, was er selbst erlebt, im Lied;
Ein Dritter singt von Minne
Und der von Glücksgewinne;
5 Dieser von üppig reichem Gut,
Jener von schwellend stolzem Mut.
Ich schöpf es aus dem frischen Leben,
Wie sich's vor meinem Aug' begeben.
Der Wahrheit leist ich voll Gewähr.

10 Ich sah ihn selbst, dem gilt die Mär,
Den Bauernsohn mit schmuckem Haar –
Des Meiers Helmbrecht Sohn er war,
Hieß Helmbrecht auch, dem Vater gleich.
Der blonden Locken Fülle weich
15 Ihm auf die Schultern niederfloß.
Ums Haupt die Flut der Bursch umschloß

2 u. 6 Das ist der Fall bei der folgenden Dichtung.
10 *Mär:* das alte Wort für eine volkstümliche Erzählung wie die vor-
liegende.
12 Ein Bauernhof östlich von Wanghausen in Oberösterreich gegenüber
dem bayrischen Städtchen Burghausen an der unteren Salzach war noch
ums Jahr 1860 unter dem Namen Helmbrechtshof bekannt. Vgl. Friedrich
Keinz, »Meier Helmbrecht und seine Heimat«, 2. Aufl., Leipzig 1887. –
Ein Meier, vom lateinischen Major, Vorgesetzter, ist der mit der Aufsicht
und Bewirtschaftung eines Gutes, z. B. eines Klostergutes, Betraute.
12 f. Diese zwei Verse mit den Namen des Vaters und des Sohnes
fehlen in der Berliner Handschrift und stehen in der Wiener Handschrift
weiter unten, mitten in der Schilderung der Stickerei, also wahrscheinlich
am unrechten, vom Dichter nicht beabsichtigten Orte.
14 f. Männlicher Mädelkopf, Gegenstück zum weiblichen Bubikopf.
Der ritterliche Dichter Neidhart von Reuental, der tief in das Dorfleben
hineinleuchtet, sagt den Bauern nach, daß sie ihr Haar gern des Nachts
wickeln, damit es desto lockiger aussehe.

Mit reichbestickter Mütze Zier.
Gar manchen Vogel sah man hier,
Sittiche bunt und Tauben grau,
20　Sich schwingen in des Äthers Blau
Von Seide. Mitten auf dem Kopf
Sah man von Vögeln überm Schopf
Die Mütze reich bezogen,
Als kämen sie geflogen
25　Vom Spessart. Nie ward bis zur Stund'
Auf eines Bauern Schädelrund
Ein schönrer Farbenschmuck erblickt,
Als womit Helmbrechts »Dach« bestickt.
　　　Hört erst, was dort am rechten Ohr
30　Des Bauerntölpels strahlt' hervor,
Genäht gar kunstvoll: Trojas Fall!
Die Türme stürzten vor dem Prall,
Die Mauern rings desgleichen.
In schnellem Schiff entweichen
35　Sah man Äneas auf die See.
Nein, daß ein dummer Bauer je
Durft' eine solche Mütze tragen,
Von der so vieles ist zu sagen!
　　　Nun hört, was links in Seide
40　Sich bot als Augenweide:
Die Kampfgenossen, jene vier,
Karl, Roland, Turpin, Olivier,

17　*Mütze:* Im mittelhochdeutschen Texte steht hûbe, das meist mit Haube wiedergegeben wird. Unser heutiges »Mütze«, vom spätlateinischen almutium, wurde im Mittelalter zunächst von der Chorkappe der Geistlichen gebraucht. Die Mütze Helmbrechts buchtete sich nach Art einer Haube an den Seiten und nach hinten etwas weiter aus.

18–69　Bei der Schilderung der Mütze ergeht sich der alte Dichter in ermüdender Breite, teils um seine Kenntnisse von Geschichte und Sage zu zeigen, teils aber auch, um die Unstimmigkeit zwischen dem erlesenen, auf höchsten Bildungsstand hinweisenden Inhalt der Stickerei und dem Träger der Mütze desto eindringlicher zum Bewußtsein zu bringen. Die Übertragung hat hier um ein Fünftel gekürzt, ohne Wesentliches wegzulassen.

42　Gestalten aus dem Stoffkreis der Karlssage, vgl. das altfranzösische »Rolandslied«.

Bezwangen dort mit Heldenkraft
Nach klugem Plan die Heidenschaft;
45   Provence, Arles und Galicierland
Erlagen ihrer starken Hand.
    Doch zwischen beiden Ohren,
Hinten, im Kampf verloren
Frau Helkes Söhn' ihr Leben
50   Vor Raben, preisgegeben *Raven*
Dem Schwert des grimmen Wittich;
Der fiel mit Sturmes Fittich
Auf sie und Diethern auch von Bern.
    Noch wollt gewiß ihr hören gern,
55   Was vornen an der Mütze strahlt
Und dort, in seidner Pracht gemalt,
Bei dem erzdummen Toren,
Dem Gauch, geht rein verloren!
Entzückt das Aug' dies Bild erspäht,
60   Das wunderfeine Kunst genäht:
Ritter und Edelfraun im Kranz,
Knappen und Jungfräulein, zum Tanz
Vereint. Inmitten zweier Frauen
Ein Ritter stand, hielt, wie's zu schauen
65   Noch heut beim Reigen, ihre Hände;
Und ebenso am andern Ende
Je zwischen zweien Maiden stand,
Ein Knapp' und hielt sie bei der Hand.
Und Geiger stunden auch dabei.
70   Wer schuf die reiche Stickerei?
Wie kam der ungeleckte Knabe

---

45 Galicien, Landschaft in Spanien.
49 *Helke:* des Hunnenkönigs Etzel Gemahlin; Scharpf und Ort ihre Söhne.
50 *Raben:* Ravenna.
53 Diether, der jüngere Bruder Theodorichs oder Dietrichs von Verona oder Bern. Er soll die jungen Knaben, die die Mutter höchst ungern hat ziehen lassen, führen und schützen, fällt aber mit ihnen, nachdem sie leichtfertig im bloßen Sommerkleid den Recken Wittich angegriffen haben.

Zu solcher auserlesnen Gabe?
Vernehmen sollt ihr's jetzt genau.
   Von lebensdurst'ger Klosterfrau
Gestickt war jener Mütze Pracht,
Die war, dank ihrer Schönheit Macht,
Der Zelle früh entronnen!
Ihr ging's wie vielen Nonnen –
Gar oft mein Auge derer sieht –,
Die bald ihr Unteres verriet,
So daß ihr Obres mußt' erröten!
Der Nonne gab in ihren Nöten
Des Helmbrechts Schwester, Gotelind,
Zum Unterhalt ein stattlich Rind.
Mit hoher Kunst von früh bis spät
Vergalt's die Meisterin und näht'
An Mütz' und Kleidern ihr. – Zur Kuh
Der Gotelinde fügt' hinzu
Die Mutter ihre Gabe:
Sie spendete zur Labe
An Eiern, Käse so viel, wie
Am Tisch des Refektoriums nie
Das Nönnlein insgesamt bekam
Und fröhlich auf die Zunge nahm.
   Den Bruder hätschelnd, gab noch mehr
Aus ihrem Schatz die Schwester her:
Die feinste weiße Leinewand –
Kaum jemand beßre hat im Land.
So fein spann sie dazu das Garn:
Dem Zeuge sieben Weber warn
Entlaufen, eh es ausgewebt.
   Nicht minder ihren Sohn erhebt
Die Mutter, die ein Wams ihm reicht:
Des Schneiders Schere trennt nicht leicht
Ein besser Tuch. Schneeweißer Pelz
Vom wolligen Weidevieh des Felds
Schmiegt sich ihm drunter um den Leib.

Dazu beschert das gute Weib
Dem Liebling Kettenwams und Schwert.
110 So viel schien ihr das Bürschlein wert!
Noch legte nöt'ger Kleider zwei,
Stechmesser sie und Taschen bei – –
Ein Lümmel doch, dem all dies wird!
Als sie den Burschen ausstaffiert,
115 »Zu allem, Mutter«, sprach er, »brauch
Ich sicher eine Joppe auch!
Sonst würd' ich ja nur ausgelacht!
Und zwar wünsch ich sie so gemacht,
Daß, wenn dein Auge darauf ruht,
120 Du sagen darfst mit frohem Mut,
Dein Sohn gereiche dir zur Ehre,
Wohin er auch die Schritte kehre.«
Ein Röckel, das sie aufgespart,
In saubrer Hülle wohlverwahrt,
125 Sie gab es für den Sohn jetzt her
Und tauscht' ein Tuch ihm, blau und schwer:
Im ganzen Land kein Meier
Trug einen um zwei Eier
Besseren Rock. Das glaubt aufs Wort!
130 Der galt ihm aller Tugend Hort,
Der ihn bei diesem Rock beriet.

112 *Stechmesser:* bei dem bayrischen Bauern, besonders dem oberbayrischen, noch heute beliebt.
112 Die Taschen wohl zur Aufnahme der Messer.
113 Die seit Karl dem Großen gesetzlich vorgeschriebene Bauernkleidung bestand aus grobem Hemd, grauen oder schwarzen Röcken, kurzer Hose, rindledernen Schuhen. Selbst sonntags durfte der Bauer bei schwerer Strafe kein Schwert tragen; dies Verbot hatte noch 1156 Friedrich I. erneut. Der Bauernsohn Helmbrecht geht also mit Linnenhemd, Kettenwams und Schwert schon weit über Sitte und Stand hinaus, und die ihn so beschenkenden und verhätschelnden beiden, Mutter und Schwester, führen dadurch seinen Untergang herbei. – Übrigens fängt auch der Leidensweg des Joseph, die Entfremdung seiner Brüder, seine Überhebung über sie damit an, daß er durch Schenkung eines feinen Ärmelrockes verhätschelt wird und an der gemeinen Arbeit auf dem Felde nicht mehr teilnimmt.
116 *Joppe:* mhd. warkus, mittellat. gardacorsium, franz. gardecorps, ein kurzes Kleid für den Oberkörper.
123 Gemeint ist wohl ein festlicher Rock oder Unterrock der Mutter.

Vom Gürtel bis zum Nacken schied
Am Rücken Funkelschein das Kleid:
Dicht Knöpfchen sich an Knöpfchen reiht,
135   Vergoldet. Und wo reicht' ans Kinn
Das Koller, bis zur Schnalle hin
Glänzten die Knöpflein silberweiß.
Wohl selten wandte solchen Fleiß
Und niemals ähnlich kostbar Werk
140   Ein Bauer zwischen Haldenberg
Und Hohenstein, daß er gefalle,
An seinen Rock. Schaut, von Kristalle
Schlossen drei Knöpfe, nicht zu klein,
Des Narren Brust. Mit Knöpfelein
145   Gelb, blau, schwarz, weiß, braun, rot und grün,
War sie bestreut, die fernhin glühn
Und strahlen zauberbunten Glanz:
Sooft er trat einher im Tanz,
Sah Mädchen man wie Frauen
150   Gar liebend nach ihm schauen.
Kaum würd' ich neben diesem Knaben
Bei Frauen noch gegolten haben.
    Dort, wo der Ärmel wächst hervor,
Da war von kleiner Schellen Chor
155   Die Naht ringsum behangen,
Die alle hell erklangen,
Sobald er sprang im Reigen.
Den Frauen tönt's wie Geigen.
    Ach, möcht' Herr Neidhart leben!
160   Ihm hatt' es Gott gegeben

140 f. Beide Orte sind heute noch erhalten nahe der unteren Salzach in
Oberösterreich, unweit der bayrischen Grenze. Vgl. Keinz, a. a. O.
148 Der Tanz wird getreten oder gegangen, der Reigen gesprungen.
154 f. In der Tat war damals die Mode beliebt, den Rock mit hell-
klingenden Schellen zu benähen und möglichst verschiedene bunte Knöpfe
daran anzubringen.
159 Neidhart von Reuental, der bedeutendste Vertreter der höfischen
Dorfminnedichtung im 13. Jh., offenbar ein Vorbild und Anreger für
Wernher.

Besser hievon zu singen,
Als mir es will gelingen.

Manch Ei verkaufend und manch Huhn,
Erwarb dem Sohn die Mutter nun
165 Die zwei noch: Hosen und fürs Geld
Den Gurt. Nachdem sie so bestellt
Dem Großhans auch der Beine Kleid,
Trat er zum Vater stolz und breit:
»Aufs Ritterleben steht mein Sinn!
170 Bedürftig, lieber Vater, bin
Ich deines Beistands! Hilf mir, gleich
Der Mutter, Schwester, die so reich
Mir gaben, deren edlem Sinn
Ich all mein Lebtag dankbar bin.«
175 Dem Vater war die Bitte leid.
Er rief im Scherz: »Zum neuen Kleid
Hinzu geb einen Hengst ich dir,
Ein flink, ausdauernd, reisig Tier,
Der über Zaun und Graben springt.
180 Ich kauf ihn gern dir, wenn's gelingt
Und einer feil. Doch, lieber Sohn,
Das Rittertum – laß ab davon!
Glaub mir, die höfische Lebensart
Wird allen denen drückend hart,
185 Die nicht von Kind auf heimisch drin.
Schlag dir die Hof-Fahrt aus dem Sinn!
Fahr *mir*, mir treibe das Gespann,
Lenkst du den Pflug, treib ich's dir an.
Ach, laß selband uns wacker
190 Bestellen unsern Acker!
So steigst du einst gleich mir hinab

---

166 Dieser Geldgurt, mhd. Spargolze, war ein Teil der Beinbeklei-
dung, er schlang sich im Innern der Hosen um die Hüften herum und
war so eingenäht, daß man Geld darin tragen konnte, ohne daß ein
anderer es bemerkte.

Mit großen Ehren in dein Grab.
Drauf zähl ich, meiner Pflicht getreu
Und kein Verräter; jährlich neu
195 Zahl meinen Zehnten ich vollauf.
Ich habe meines Lebens Lauf
Vollführt ohn Haß und ohne Neid.«
      Der Sohn sprach: »Schweig, und Widerstreit
Laß, Vater, sein! Es muß geschehn
200 So und nicht anders! Ich will sehn,
Wie höfisches Leben schmecke;
Will nie mehr deine Säcke
Mir bürden auf den Kragen,
Noch will auf deinen Wagen
205 Mit Mist ich mich beklecken.
Schmach müßte mich bedecken,
Wenn ich dir Klee noch mähte
Und deinen Haber säte
Und ferner Ochsen triebe!
210 Schon meinem Haar zuliebe,
Dem langen Blondgelocke,
Dem schmucken Herrenrocke,
Der reichbestickten Mütze
Aus Seide, wär's nicht nütze
215 Noch ziemend mir vor Frauen,
Mit dir das Feld zu bauen!«
      »Mein lieber Sohn, ach bleib bei mir!
Es will der Meier Ruprecht dir
Geben, ich weiß, sein Töchterlein,
220 Als Heiratsgut noch obendrein
Viel Schafe, Schweine, ja zehn Rinder.
Als Ritter, da bekommst du minder

195 Nach Keinz wäre Wernher, der Dichter unserer Mär, Gärtner des Klosters Ranshofen gewesen, zwei Stunden nördlich vom Helmbrechtshof gelegen. Helmbrecht hätte als Klostermeier dann dorthin den Zehnten zu entrichten gehabt, wie er später Vers 794 nochmals hervorhebt. Die ernsten Bedenken, die gegen diese Keinzsche Vermutung vorliegen, hat Friedrich Panzer in seiner Textausgabe von »Meier Helmbrecht« (4. Aufl., Halle 1924, Seite XI ff.) gut zusammengefaßt.

Reichliche Kost, mußt hungern,
Am Wege lagern, lungern,
225 Dich schinden und dich plagen,
Dir alle Lust versagen.
Nun folge meiner Lehre,
Das bringt dir Nutz und Ehre.
Wer frevelnd seinem Stand entsteigt,
230 Gar selten dem das Glück sich neigt.
Dir angestammt ist, Sohn, der Pflug.
Ritter findest du ja genug,
Wohin du dich auch wendest.
In Schimpf und Schmach du endest.
235 Ich schwör es dir beim großen Gott:
Der rechten Rittersleute Spott
Wirst du bald sein, mein liebes Kind – –
Steh ab und folg mir treugesinnt!«
        »Bin, Vater, ich beritten,
240 Getrau in höfischen Sitten
Ich mir so glänzend zu bestehn,
Wie die seit je zu Hofe gehn.
Wer nur auf meinem Haar erblickt
Die saubre Mütze, kunstgestickt,
245 Der schwüre tausend Eide drauf,
Daß nie ich zog mit Ochsen auf,
Nie durch die Furche stieß den Pflug.
Tret ich daher auf meinem Zug
In jenem schmucken Kleide,
250 Das Mutter, Schwester, beide
Mir steuerten, so ahnt gewiß
Kein Mensch, daß je ich Stecken stieß,
Oder einmal im Tenn – o Graus –
Das Korn mit Flegeln drosch heraus.
255 Sind Füß' und Bein' erst angetan
Mit Hosen, Schuhn aus Korduan,

---

252 Z. B. für Bohnen.
256 *Korduan:* feines Ziegen- oder Schafleder.

So sieht kein Mensch den Bauersmann,
Der Zäune für dich zog, mir an.
Gib mir den Hengst, und ich entsage
260 Dem Ruprecht dort und seinem Schlage
Für ganz; ich will nicht weich mich schmiegen,
Mich nicht bei einem Weib verliegen.«
    Der Vater: »Schweig noch eine Weile
Und hör, was ich zu deinem Heile
265 Dir sage. Denn wer gute Lehre
Befolgt, der erntet Nutz und Ehre,
Doch welches Kind des Vaters Rat
Allzeit mißachtet mit der Tat,
Kommt vor dem ganzen Lande
270 In Schaden und in Schande.
Willst du dem Ritter gleichen,
Dem hochgebornen, reichen,
Empor zu ihm dich schwingen,
Es wird dir nicht gelingen.
275 Er wird dich drob nur hassen,
Und die du schnöd verlassen,
Die Bauern – nimmer ficht sie an,
Was dir zuleid geschieht alsdann.
Gesetzt, ein rechter Ritter nähme
280 Des Bauern ganzes Geld, der käme
Zuletzt doch besser weg als du!
Mein bester Sohn, ach, hör mir zu!
Nimmst du nur Heu dem Bauern fort
Und packt er dich beim Raube dort –
285 Für alle bist du Bürg' und Pfand
Ihm, die ihn jemals überrannt
Und seines Guts genommen.
Er läßt zu Worte kommen
Dich nicht einmal; mit dem Gericht,
290 Dem gottgefälligen, säumt er nicht:

262 Er spricht hier bereits wie ein Ritter. Minnedienst soll ihn nicht
von der Ritterschaftsübung zurückhalten.

Er schlägt dich tot, o glaub mir's! bleib,
Mein Sohn, und nimm ein ehlich Weib!«
»Vater, und wie's mir auch ergeh,
Daß ich von meinem Weg absteh,
295   Erwarte nicht! Ich muß hinaus
Jetzt in der Ritter Kampfgebraus.
Heiß mit dem Pfluge, mit den Küh'n
Sich andre deiner Söhne mühn!
Vor mir das Vieh soll brüllen bald,
300   Das fort ich treibe mit Gewalt.
Die blöde Stute! Lang sonst wär'
Ich auf und fort und kreuz und quer
Toll mit den andern hingefahren,
Wild durch die Hecke bei den Haaren
305   Die Bauern zerrend, wie ich will.
Qual ist mir's, hier zu liegen still!
Die Armut soll der Teufel holen,
Aufziehn drei Jahre lang ein Fohlen –
Päppeln gleich lange Zeit ein Rind –
310   Solch ein Erwerben gilt mir Wind!
Nein, rauben alle Tage
Will ich, daß ich erjage
Mir Überfluß an leckrer Kost
Und schütze winters mich vor Frost –
315   Solang noch Rinder etwas wert!
Vater, nun eile mit dem Pferd!
Kein Zögern mehr, gib schleunigst mir
Den Hengst, nicht bleib ich mehr bei dir!«
Hier kürz ich mein Erzählen ab:
320   Voll dreißig Lagen Loden gab
Für seines Sohnes Hengst er.
's war aller Loden längster,

---

301 *Stute:* Hätte ich nur erst einen Hengst statt unseres elenden Klep-
pers hier.
315 Solange ich die geraubten Rinder noch verkaufen kann.
320 Lodenstoff; diese groben Tuche werden nicht gerollt, sondern in
Lagen von 50–70 cm Breite übereinandergefaltet (mhd. Sturz).

Sagt uns die Mär; der Kühe viere
Dazu, zwei Ochsen und drei Stiere,
325   Vier Scheffel Kornes obendrein ...
Weh, alles wird verloren sein.
Er kauft' ihn um zehn Silberpfund.
Hätt' er verkauft den Hengst zur Stund',
Kaum drei wärn ihm geblieben.
330   O weh, verlorne Sieben!

Schon stand Jung-Helmbrecht fahrtbereit
In seinem schmucken neuen Kleid.
Hört, wie der Knabe sprach allda.
Wild schüttelt' er das Haupt und sah
335   Über die Achsel jeden an:
     »Hei, lechzt nach einem Stein mein Zahn!
Ich bisse durch, ja Eisen fräß' ich,
Und meinen wilden Mut gern mäß' ich.
Der Kaiser mag sich glücklich preisen,
340   Fang ich ihn nicht und schlag in Eisen
Ihn, Beute fordernd bis zum Hals;
Den stolzen Herzog ebenfalls
Und manche Grafen hochgestellt.
Keck will ich traben übers Feld,
345   Des Tods nicht achtend, hin und her,
Die Welt durchstürmend kreuz und quer.
Laß endlich mich aus deiner Hut!
Fortan will ich nach eignem Mut
Und stolzem Willen wachsen.
350   Hei, einen wilden Sachsen
Erzögt Ihr, Vater, eh'r denn mich!«

327 Ein Pfund = 20 Schillinge = 240 Pfennige, genau wie heute noch
das englische Pfund, nur mit wohl zehnfach höherem Geldwerte.
339 Der letzte Kaiser vor der »kaiserlosen, der schrecklichen Zeit«,
Friedrich II., starb 1250. Aber die Idee des Kaisertums erlosch nicht, bis
Rudolf I. sie 1273 aufs neue verwirklichte.
350 Gudrunlied 366: »Er lohnte ihm so reichlich wie einem wilden
Sachsen oder Franken.« Gemeint sind nicht die im heutigen Sachsen,

Drauf dieser: »Sohn, so will ich dich
Von meiner Zucht befrein. Wohlan,
Das sei für mich nun abgetan!
355   Da meine Zucht soll schweigen nun,
Kräusle dein Haar, wie Ritter tun,
Doch gib auf deine Mütze acht
Mit ihrer seidnen Vögel Pracht,
Daß sie nicht eine starke Faust
360   Samt deinem Blondgelock zerzaust!
Willst wirklich du nichts wissen mehr
Von meiner Zucht, so fürcht ich sehr,
Du folgst zuletzt noch einem Stabe
Und leitet dich ein kleiner Knabe.«
365   Dann fuhr er fort: »Mein lieber Sohn,
Ach hör auf mich, steh ab davon!
Genieße froh mit mir dein Brot,
Wie es der Mutter Hand uns bot.
Laß Wasser deine Labe sein,
370   Statt daß mit Raub du kaufst dir Wein.
Den österreichischen Klamirrn,
Ihn schätzt, gebacken mild mit Hirn,
Der Dumme wie der Weise.
Iß solche Herrenspeise,
375   Eh du dem Wirt für seinen Hahn
Treibst ein geraubtes Rind heran.
Du kennst der Mutter guten Brei.
Den schleck' und schlürfe sorgenfrei,
Statt eine Gans, die du verzehrt,
380   Bezahlen mit geraubtem Pferd.
So wie du achtest Recht und Brauch,
So achten dich die Leute auch.

sondern die in Westfalen und nördlich bis ans Meer wohnenden, von
Karl dem Großen bezwungenen wilden Niedersachsen.

363 f. Anspielung auf die Strafe der Blendung, die der Vater im
Traume vorausgeschaut, vgl. Vers 483–492.

371 Der Name kommt noch heute in jener Gegend vor für gebackene,
mit Kalbshirn oder Zwetschen gefüllte Semmelschnitten.

Zum Roggen Hafer mische,
Lieber als daß du Fische
385 Genießest mit Unehren:
Dein Vater kann's dich lehren.
Folge, so zeigst du klugen Sinn.
Doch willst du nicht, so fahr dahin!
Erwirbst an Gut du noch so viel
390 Und Ehren dir – fürwahr, ich will
Dran keinen Teil mit dir! nein, nein!
Trag auch den Schaden du allein!«
     »Magst du denn Wasser trinken –
Ich lasse Wein mir blinken.
395 Iß du nur, Vater, Habermus,
Indes mir Backhuhn sei Genuß.
Wer will mir's verwehren? Bis zum Tod
Will ich mein weißes Semmelbrot.
Für deinen Schlag der Hafer ist.
400 Zu Rom im Buch des Rechts man liest,
Ein Kind empfang' in seiner Jugend
Von seinem Paten eine Tugend.
Mein Pate war ein Rittersmann.
Gesegnet sei er! Von ihm rann
405 In mich mein adlig wallend Blut
Und mein hochfliegend stolzer Mut.«
     Der Vater: »Glaub's nur, mir gefällt
Ein Mann weit besser, der noch hält
Auf Recht und recht tut unverrückt,
410 Ob Stand und Herkunft auch gedrückt.
Der Welt ein solcher mehr behagt,
Als wer der Tugend abgesagt
Und Ehr' – aus königlichem Blut!
Gesetzt, ein Niedrer, treu und gut,
415 Ein zuchtlos adeliger Fant,
Sie beide kommen in ein Land,

---

384 Fische galten ebenso wie Geflügel als Herrenspeise, als Lecker-
bissen für Festtage.

Wo keiner noch sie kennt. Man wird,
Von ihrer Herkunft unbeirrt,
Den Niedern weit dem Hohen
420　Vorziehn, dem ehrlos Rohen.
Mein Sohn, willst du vom Adel sein,
Du bist's durch edles Tun allein.
Des Adels Krone ist die Zucht!
Ich sag's als langen Lebens Frucht.«
425　　Der Sohn: »Du redest, Vater, wahr.
Doch meine Mütze wie mein Haar
Und meiner schmucken Kleider Glanz – –
Das treibt mich fort, das paßt zum Tanz
Weit besser als zu Egg' und Pflug.«
430　　»Wehe, daß dich die Mutter trug!
Du wählst« – hervor er's preßte –
»Das Böse für das Beste.
Mein blühender Sohn, sag mir noch dies,
Wenn Einsicht dich nicht ganz verließ:
435　Wer lebt wohl besser: dem man flucht
Und zürnt, der stets das Eigne sucht,
Nur zu der Leute Schaden lebt
Und Gottes Gnade widerstrebt?
Oder ist's jener, der nur Freud'
440　Und Nutzen wirkt und nie's ihn reut
Der Last; er müht sich Nacht und Tag,
Daß andre er beglücken mag,
Und Gott mit allem Tun er ehrt.
Wohin er seinen Schritt auch kehrt,
445　Gott ist ihm hold und alle Welt.
Wer ist's, der besser dir gefällt?
In Wahrheit sag's, mein Sohn, mir an!«
　　»Mein Vater, mir gefällt der Mann,
Von dem man nie erfährt ein Leid,
450　Nur Freud' und Nutzen allezeit.
Der führt das beste Leben.«
　　»Mein Sohn, der wärst du eben,

Wenn du mir folgen wolltest nur.
Ach, baue mit dem Pflug die Flur,
455 Draus andern lauter Nutzen sprießt,
Daß reich und arm dein Tun genießt,
Dein Tun genießt selbst Wolf und Aar
Und der Geschöpfe bunte Schar,
Alles, was Gott auf Erden
460 Ließ je lebendig werden.
Wohlan, mein Sohn, den Acker bau!
Gewißlich wird manch hohe Frau
Durch deines Ackers Frucht verschönt,
Und mancher König sieht gekrönt
465 Sich dank des Bauern Fleiß und Schweiß.
Niemand erlangte Ruhm und Preis,
In Rang und Stand, wär' nicht das Feld
Des Bauern immer neu bestellt.«
»Möchte von deinem Predigen
470 Mich Gott in Eile ledigen,
Vater! Ja, wenn ein Prediger wär'
Aus dir geworden, ohn Beschwer
Locktest du wohl ein ganzes Heer
Mit deiner Predigt übers Meer.
475 Hör zu, die Bauern ackern viel,
Doch essen auch ohn Maß und Ziel!
Wie's mir ergeh' – dem Pflug absagen
Will ich! Denn schwarze Hände tragen,
Weil ich dem Pfluge schreite nach,
480 Das brächte mir bei Gott nur Schmach:
Wie dürft' ich je mich zeigen
An Frauenhand im Reigen.«
Der Vater drauf: »Erkunde
Bei Weisen in der Runde,
485 Was dieses Traumes Deutung sei:
Du hieltest klarer Lichter zwei,
So träumte mir, in deiner Hand;

473 f. Im Kreuzzug nach Palästina.

Die strahlten weithin durch das Land
Mit hellem Schein. Mein lieber Sohn,
490 So träumt' im vorigen Jahre schon
Von einem Manne mir, und den
Sah ich dies Jahr als Blinden gehn.«
     Der Sohn jetzt: »Vater, das ist gut.
Nicht soll entfallen mir der Mut
495 Ob solchem düstern Traumgesicht;
Sonst wär' ich ja ein feiger Wicht!«
     So blieb sein Warnen ohne Frucht.
Doch neu der Vater es versucht:
»Ein Fuß, so träumte weiter mir,
500 Wie sonst schritt auf der Erde dir.
Hoch stundest mit dem andern Knie
Auf einem Stock du irgendwie.
Dir ragte aus dem Rock hervor
Ein Stumpf gleichwie ein Achsenrohr.
505 Was dir der Traum bedeute,
Das frage weise Leute!«
     »Was anders, als daß Glück und Heil
Und reiche Freuden sind mein Teil!«
     Der Vater: »Sohn, im dritten Traum,
510 Da solltest du im weiten Raum
Hoch über Wald und Hain hinschweben.
Als du den Fittich wolltest heben,
Da mußt' ich ihn zerschnitten sehn –
Und um dein Fliegen war's geschehn.
515 Scheint dir nun gut des Traumes Ende?
Weh deine Augen, Füße, Hände!«
     »Was, Vater, du im Traum gesehn,
Verheißt mir Glück und Wohlergehn.
Sorg dir für einen andern Knecht!
520 Mit mir bist du beraten schlecht,
Soviel auch deiner Träume sind.«
     »All diese Träume seien Wind
Dir, Sohn; doch hör noch einen Traum!

Du standest hoch auf einem Baum.
525 Von deinen Füßen bis zum Gras
Anderthalb Klafter wohl ich maß.
Zu Häupten dir saß eine Krähe
Auf schwankem Zweig und in der Nähe
Ein Rabe. Struppig und zerzaust
530 Im Winde flog dein Haar. Es kraust
Und kämmt's zur Rechten rauh der Rab'.
Links scheitelt's dir die Kräh' hinab.
O weh, mein Sohn, des Traumes!
O weh, mein Sohn, des Baumes!
535 O weh des Raben, weh der Krähe!
Voll Reue selber ich mich schmähe,
Daß ich nicht besser dich erzog — —
Falls mich das Traumbild nicht belog.«
»Und wenn du, Vater, weiß der Christ,
540 Träumtest, was nur zu denken ist,
Sei es nun übel oder gut,
Nicht laß ich dämpfen mir den Mut,
Nie bis zum Tod. Mehr als zuvor
Fühl ich's: ich muß hinaus, empor.
545 Drum, Vater, Gott behüte dich,
Die liebe Mutter sonderlich,
Und eures Hauses Kinderschar
Gedeih' euch fröhlich immerdar!
Gott sei uns allen Schirm und Hort!«
550   Und damit ritt er grüßend fort.
Abschied nahm er vom Vater,
Hin stob er durch das Gatter.
    Alles, was er erlebt, zu sagen,
Nicht brächt' ich's fertig in drei Tagen,
555 Und kaum in ihrer sieben
Hätt' alles ich beschrieben.

---

552 So nach der Berliner Handschrift. Die Ambraser Handschrift in
Wien will statt dessen: Hin stob er übers Gatter.

II

Hoffnung kämpft mit Unbehagen:
Der Sohn kehrt wieder

Er kam geritten auf ein Schloß.
Der Burgherr focht mit wildem Troß
Ohn Aufhörn blutige Fehden.
560 Gern drum behielt er jeden,
Der keck verstand zu reiten
Und mit dem Feind zu streiten.
Helmbrecht, der ward sein Dienstgesell
Und bald ein Räuber geierschnell.
565 Das, was ein andrer liegenließ,
In seinen weiten Sack er stieß;
Riß an sich alles überein,
Kein Raub erschien ihm allzu klein.
Ihm war auch nichts zu groß, zu schwer:
570 Sei's rauh, sei's glatt, sei's voll, sei's leer,
Alles nahm Meier Helmbrechts Kind.
Er nahm das Roß, er nahm das Rind,
Er ließ dem Mann nicht Löffels Wert,
Er nahm das Wams ihm und das Schwert,
575 Er nahm den Mantel und den Rock,
Er nahm die Geiß, er nahm den Bock,
Er nahm den Widder, nahm das Schaf –
Am eignen Leib ihn später traf
Peinvoller Lohn. Er zog dem Weib
580 Das Röckel, ja das Hemd vom Leib,
Den Pelzrock und das Übertuch.
Wie gern säh' er getilgt den Fluch,

---

557 Wohl eine der vielen am unteren Inn gelegenen Raubburgen.

　　　Als ihn der Scherge machte zahm,
　　　Daß Weibern je er etwas nahm!
585　Was gäb' er, hätt' er's nie vollführt!
　　　　Im ersten Jahr die Segel rührt
　　　Und schwellt nach Wunsch ihm günstiger Wind:
　　　Die Schiffe gleiten hin geschwind.
　　　Da schwoll denn auch sein Übermut,
590　Weil ihm von dem geraubten Gut
　　　Zufiel der reichlichste Gewinn.
　　　Nun richtet' heimwärts sich sein Sinn,
　　　Heim zu den Seinen, wie nur je
　　　Menschen beschlich der Sehnens Weh.
595　Vom Hofe nahm er drum geschwind
　　　Abschied wie auch vom Ingesind,
　　　Wünschend, daß Gottes Güte
　　　Sie alle treu behüte.
　　　　Was folgt in der Erzählung jetzt,
600　Die Leute sicherlich ergötzt;
　　　Ich darf es nicht verschweigen.
　　　Könnt' ich's nur deutlich zeigen,
　　　Wie man daheim den Sohn empfing!
　　　Ob man ihm wohl entgegenging?
605　O nein, es ward *gelaufen*!
　　　In einem dichten Haufen
　　　Jeder voraus dem andern drang.
　　　Der Vater und die Mutter sprang,
　　　Als wär' ein Kalb am Sterben.
610　Glücksbotenlohn erwerben
　　　Durfte der Knecht! Heut ohne Fluch
　　　Gab man ihm Hemd und Hosentuch.

---

595 Von der Schloßherrschaft.
609 Nach der gewöhnlichen Lesart »als in nie Kalp erstürbe« wäre zu
übersetzen: als wäre ihnen nie ein Kalb gestorben, d. h. nie ein schweres
Mißgeschick widerfahren. Liest man statt nie aber ein, so wird der Sinn
drastischer. Nie kann der Bauer besser laufen, als wenn ihm ein Stück
Vieh in Gefahr steht.
610 Lohn für erste Meldung der Freudenkunde, der Sohn sei wieder-
gekehrt.

Sprachen die Freimagd und der Knecht:
»Sei, Helmbrecht, uns willkommen recht!«
615 Behüte, daß sie's taten!
's ward ihnen widerraten.
Sie riefen: »Gnädiger Junker, seid
Gott hochwillkommen dieser Zeit!«
Er: »Liebe söte Kindekin,
620 Got lat' juch ümmer glücklich sin!«
Die Schwester jetzt in heißem Drang
Mit beiden Armen ihn umschlang.
Da sprach er zu der Schwester
Feierlich: »Gratia Vester.«
625 Die Jungen stürmten zu ihm jach;
Die Eltern zogen hinten nach,
Mit sprudelnd hellem Freudenton
Ihn grüßend. – »Dieu salue«, der Sohn
Zum Vater, und zur Mutter, ja,
630 Sprach böhmisch er: »Dobra ytrâ!«
Ansahen beide, Mann und Frau,
Einand, 's ward ihnen grau und blau.
»Ach, Vater«, sprach die Bäuerin,
»Wir sind wohl irr und wirr im Sinn.
635 Das ist doch unser Helmbrecht nicht.
Ein Böhm', ein Wende ist's, der spricht.«
    Der Vater sagte: »Sicherlich
Ein Welscher ist's. Mein Sohn, den ich
Gott anbefahl, der kann's nicht sein,
640 Sieht ihm zwar gleich, doch nur zum Schein.«
    Und seine Schwester Gotelind
Sprach: »Dieser ist nicht euer Kind.
Mir gab er Antwort auf Latein,

---

613 Die Bauern durften keine Leibeigenen haben, sondern nur freie
Leute als Dienstboten mit Bezahlung wie heute.
618 f. Schlechtes Niederdeutsch oder Flämisch. Flämisch in die Rede
einzustreuen galt als besonders höfisch oder feingebildet.
624 Schlechtes Latein.
628 Altfranzösisch: Deu sol! Gott erhalte Euch!
630 Guten Morgen.

Da mag er wohl ein Pfaffe sein.«
645 Der Freiknecht meint': »Aus Sachsenland,
Traun, stammt er oder aus Brabant;
Sprach ›Liebe söte Kindekin‹ –
Für einen Sachsen halt' ich ihn.«
     Der Bauer fragt' in schlichtem Ton:
650 »Bist du es, Helmbrecht denn, mein Sohn?
Du hättest bald mich dir versöhnt,
Sprächst du *ein* Wort, wie wir's gewöhnt,
Wie unsre Väter sprachen,
Daß ich versteh die Sachen.
655 Du sprichst da immer dieu salue!
Ich kann's erraten nur mit Müh'.
Die Mutter ehre sowie mich!
Wir haben's wohl verdient um dich.
Ein deutsches Wort sprich, und zurecht
660 Feg ich den Hengst dir, nicht der Knecht,
Ich selbst, und alles sei verziehn!«
     »Ei, ei, was schnackt ihr, Burekin,
Und jenes olle dolle Wif?
Min Perd un minen klaren Lif,
665 Dat sal mindag ken Burenman
Mit sinen Henn' mir gripen an.«
     Darob erschrak der Bauer sehr.
Doch sprach er: »Bist du's, Helmbrecht, der
Mir wiederkehrt, will ich ein Huhn
670 Dir heut noch übers Feuer tun
Und später eines braten gar.
Was ich verspreche, das wird wahr.
Bist du mein Helmbrecht nicht, und stände
Vor mir ein Böhme oder Wende,
675 So hebt Euch fort ins Wendenland!
Die eigne Schar macht vorderhand

645 Niedersachsen, Niederdeutschland.
662–666 Eine Mischung ober- und niederdeutscher Formen, da dem
jungen Helmbrecht das »Flämisch« denn doch noch nicht geläufig ist.
675 Der Vater geht zur steiferen Anredeform über.

Weiß Gott mir viel zu schaffen.
Ich geb auch einem Pfaffen
Sein nacktes Recht nur. Seid Ihr's nicht,
680 Helmbrecht, mein Sohn – für kein Gericht,
Und hätt' ich Fleisch genug und Fisch,
Wascht Ihr die Hand an meinem Tisch.
Seid Ihr aus Sachsen, aus Brabant,
Oder entstammt Ihr welschem Land,
685 So habt Ihr doch wohl mitgeführt
Den Futtersack. Von Euch berührt
Wird meines Gutes nichts, gebt acht,
Und dauerte ein Jahr die Nacht!
Ich habe weder Met noch Wein.
690 Junker, kehrt doch bei Herren ein!«
    Inzwischen brach der Abend an,
Es dunkelte. Der Bursch begann
Zu Rat zu gehn in seinem Sinn:
Ich will doch sagen, wer ich bin,
695 Beim guten Gott. Da ist kein Wirt
Nahbei, der mich behalten wird
Zur Nacht. Ich seh, es war nicht klug,
Daß meiner Sprach' ich mich entschlug.
Das tu ich nie und nimmermehr.
700 Er sprach: »Ich bin ja der!« – «Sagt, wer!«
Der Vater rief. – »Der heißt, wie Ihr.«
Der Vater schnell: »So nennt ihn mir!«
»Ich heiße Helmbrecht, und ich war
Euch Sohn und Knecht zugleich vorm Jahr.«
705 »Nein, nein.« – »'s ist wahr.« – »So nennt mir alle
Vier Ochsen, die mir stehn im Stalle!«
    »Die will ich bald Euch nennen.
Wie sollt' ich sie nicht kennen,
Die ich gehegt, gepflegt so lang
710 Und meinen Stecken drüber schwang.

---

682 Vor jeder Mahlzeit wurde Wasser hereingebracht und jedem über
die Hände gegossen.

Der erste, er heißt Auer.
Der reichste, träfste Bauer
Gern auf sein Feld ihn nähme.
Der andre, der hieß Rähme.
715   So stattlich Rind ward nie gespannt
Ins Joch. Der dritte ward genannt
Erge – Ihr seht, ich bin nicht dumm
Und kenne alle Namen drum.
Wollt Ihr noch mehr? Nun, Sonne hieß
720   Der vierte. Traf ich alles dies,
So lohnet mich nun auch dafür
Und öffnet freundlich mir die Tür!«
      Der Vater rief: »Auf Tür und Tor!
Du sollst nicht länger stehn davor;
725   Mein Sohn, die Kammer wie der Schrein,
Es soll dir alles offen sein.«

Verwünschter Unstern, der geprellt
Mich oftmals! Nie ging's in der Welt
So gut mir wie dem Schlingel da,
730   Der sich nun weich gebettet sah
Von Schwester und von Mutter.
Der Vater gab das Futter
Weiß Gott nicht mit dem Hungerwurm.
Sein Pferd ward ausgeschirrt im Sturm.
735   Soviel ich reise her und hin,

---

711   Auerochse.
712   *träf:* schweizerisch für tüchtig.
714   Soll mit râm = Ruß zusammenhängen und ein schwarzgeflecktes Tier bedeuten.
717   Mit arg zusammenhängend, Erge = Bosheit, böses Tier.
719   Vielleicht von einem weißen Fleck auf der Stirn so genannt, ähnlich dem heutigen Bleß, Blässel.
735–737   Nach Keinz hatte Wernher der Dichter als Pater Gärtner nicht bloß die Aufsicht über die ausgedehnten Klostergärten, sondern auch die Obliegenheit, alljährlich das ganze Gebiet des Klosters zu durchwandern und die Bauern in der Obstbaumzucht zu unterrichten. Aber auch wenn wir ihn statt dessen für einen Spielmann halten, so war sein Leben ein unstetes, fahrendes, das ihn in die verschiedensten Herbergen führte.

An keinem Ort versorgt ich bin
Wie jener jetzt. Die Mutter rief
Die Tochter an, weil sie nicht lief:
»Auf, in die Kammer spring und reich
740   Ein Polster mir und Kissen weich!«
Geschoben ward's ihm untern Arm,
Der, auf dem Ofen liegend warm,
Gar sanft sich streckt und spreitet,
Bis ihm das Mahl bereitet.
745   Sobald des Burschen Schlaf zu Ende
Und er gewaschen sich die Hände,
Ward aufgetragen schon das Mahl.
Und was für eins! Wär' ich einmal
Ein hoher Herr – derlei Gericht
750   Würd' ich beileib verachten nicht.
Zuerst: ein fein geschnitten Kraut,
Dabei ein gutes Fleisch man schaut,
Mager und fett gesondert, zart.
Als zweites aufgetischt ihm ward
755   Ein feister Käse, mürb und weich.
Drauf eine Gans, der Trappe gleich
An Umfang. Fetter ward als dies
Kaum je ein ähnlich Tier am Spieß
Bei Feuersglut gebraten.
760   Mit Freuden sie es taten,
Und ihrer keinen es verdroß.
Drauf ein gesotten Huhn beschloß
Und ein gebratnes froh das Mahl,
So wie der Hauswirt es befahl.
765   Solch Essen wär' für einen Herrn
Ein leckrer Fraß, der jagend fern
Liegt auf dem Anstand. Allerhand,
Das sonst dem Bauern unbekannt,
Die besten Speisen man erkor

751 Vielleicht Sauerkraut. Keinz erzählt, daß noch zu seiner Zeit in
jener Gegend jede bessere Mahlzeit mit Kraut eröffnet wurde.

770   Und setzte sie dem Knappen vor.
     Der Vater rief: »Ach, hätt' ich Wein,
     Davon müßt' heut getrunken sein.
     Statt dessen trinke, lieber Sohn,
     Vom besten Quell – du kennst ihn schon.
775   Nichts sonst an Frische den erreicht.
     Ein Brunnen nur dem heimischen gleicht:
     Wanghauser Urquell, trefflich der,
     Doch bringt ihn jetzt uns niemand her.«
       Da frohgemut sie schmausten dort,
780   Fragt' ihn der Bauer fort und fort,
     Wie's Art und Brauch am Hofe sei,
     Dem er gewohnt so lange bei.
       »Erzähl mir, Sohn, vom höfischen Brauch!
     Darauf erzähl ich gern dir auch,
785   Wie ich erschaut in jungen Jahren
     Der Ritter Treiben und Gebaren.«
       »Ja, Vater, das erzähle mir,
     So will alsdann ich künden dir,
     Was dich nur lüstet, mich zu fragen:
790   Vom neuen Brauch ist viel zu sagen.«
       »Als Knecht ward ich aufs Schloß gesandt
     Vom Vater, deinem Ahn, genannt
     Helmbrecht, wie wir; oft Käs und Eier
     Bracht' ich, wie's heut noch tut ein Meier.
795   Da schaut' ich denn die Ritter nah,
     Und all ihr täglich Tun ich sah:
     Sie waren stattlich, hochgemut
     Und tapfer, keine Tunichtgut
     Noch falschen Sinns, wie heute
800   Es sind so manche Leute.
     Die Ritter übten sich in Spielen,
     Mit denen sie den Fraun gefielen.

---

777 Der Wanghauser Brunnen ist heute noch als »das goldene Brünnlein« bei der Bevölkerung wegen seines ausgezeichneten Wassers berühmt; es soll sogar Heilkraft besitzen.

Eins wurde Buhurdiern genannt;
So sagte mir ein Mann von Stand,
805 Den ich befragt' um dieses Ding.
Sie ritten kreuz und quer im Ring
Wie toll und drauf, zu toben
(Doch hört' ich drob sie loben),
Eine Schar hin, die andre her,
810 Stachen einand' mit langem Speer,
Sich stoßend von den Rossen.
Bei meinen Dorfgenossen
Gar selten solcherlei geschah,
Wie ich es dort im Schlosse sah.
815   Nach solchen Kampfestaten
Die Ritter Tänze traten
Mit prächtigem Gesange.
Da ward die Zeit nicht lange.
Bald kam und hob zu geigen
820 Ein Spielmann an zum Reigen.
Auf stunden jetzt die Frauen
– Gern mochte man sie schauen –
Die Ritter schritten auf sie zu
Und faßten ihre Hand im Nu.
825 Welch hohe Wonne! Welcher Glanz!
Die Ritterschaft! Der Damenkranz!
Welch süße Augenweide!
Die Junker und die Maide,
Sie tanzten fröhlich, reich und arm.
830 Als endlich sich gelöst der Schwarm,
Trat einer dar und las gewandt
Von einem, der hieß Ernst. Es fand
Jeglicher dort nach Herzbegehr

803 Bei diesem Kampfspiel rannte man in Scharen mit eingelegtem
Speere einander zu Pferde an, wobei gewaltig der Ruf erklang: Hurta,
hurta (drauf)!
832 Eine der volkstümlichsten Dichtungen des Mittelalters, von Herzog Ernst. Im 15. Jh. wurde ein Volksbuch daraus, nachdem die sagenhafte Geschichte schon im 12. Jh. von einem niederrheinischen Dichter in Reimpaaren verfaßt worden war.

Kurzweil und seines Wunschs Gewähr.
835 Dieser zum Ziele schoß mit Pfeil
Und Bogen. Jener zog in Eil'
Zum Pirschen, Jagen in den Wald.
So gab es Freuden mannigfalt.
Der Letzte damals – heute wär'
840 Der Vorderste, der Beste er!
Ich schaut' es deutlich jener Zeit,
Wie Treu' und Ehr' allein gedeiht,
Durch Falschheit alles wird verheert.
Durch sie ward Rittersinn verkehrt.
845 Die Falschen ohne Scham und Zucht,
Die zu verdrehn das Recht gesucht
Mit List, verderbt die Sitten,
Nicht wurden sie gelitten
Im Schlosse, nicht gespeist, geehrt.
850 Ach, heute gilt als klug und wert,
Wer schmeicheln, lügen, trügen kann:
An ihm die Ritter sehn hinan,
Und er besitzt an Gut und Ehr'
Leider zumeist erklecklich mehr
855 Als einer, der aufrichtig lebt,
Nach Gottes Wohlgefallen strebt.
    So viel weiß ich von alter Sitte.
Erzähl mir nun auch, Sohn, ich bitte,
Das Deine von der neuen!«
860   »Ich tu's in allen Treuen.
So höfisch nichts dem Ritter klingt
Wie dies heut: Trinkt, Herr Ritter, trinkt!
Trinke, Genoß, das Deine,
Ich bringe dir das Meine!
865 Wo wird so wohl uns wie beim Glas?
Hör, was ich sage: Vormals saß
Der Edelmann bei schönen Fraun;
Heut muß im Weinhaus man ihn schaun.
Und seine größten Sorgen

870 Am Abend sind und Morgen,
Ob, wenn der Wein zur Neige geh',
Der Wirt nach einem neuen seh',
Nach einem, der nicht minder gut,
Zu höhen seinen Rittermut.

875 Das Minnewerben dieser Zecher
Heißt: Süße Schankmaid, füll den Becher!
Er war ein Affe, war ein Narr,
Der einem Weib je brachte dar
Sein Sehnen statt dem Weine.

880 Wer lügen kann, alleine
Gilt wahrhaft tapfer, hochgemut:
Betrügen, das heißt Ritterblut.
Anständig ist, wer Mann und Frau
Betölpt mit Reden glatt und schlau.

885 Wer Ehr' abschneidet und den Streich
Mit Arglist führt, ist tugendreich.
Die alten Schlages, die wie Ihr
Leben, sind, Vater, glaubt es mir,
Von allem ausgeschlossen,

890 Den andern als Genossen
Sie wie der Henker lieb! Zum Spott
Ward Acht und Bann.« »Da helfe Gott!«
Der Vater rief. »Geklagt ihm sei's,
Das Unrecht wuchert wie Geschmeiß.

895 Erloschen der Turniere Pracht!
An ihrer Stelle – Niedertracht!
Vormals erscholl der Kampfruf so:
Heia, Herr Ritter, allweil froh!
Jetzt ruft's und schreit's den langen Tag:

900 Verfolg ihn, Ritter, eile, jag!
Stich zu, schlag tot, verstümmle den,
Der früher einmal konnte sehn.
Schlag dem die Hand ab, dem das Bein,
Häng diesen auf, doch fang mir ein

905 Den Reichen: er zahlt hundert Pfund.«

>Die Sitten, Vater, sind mir kund.
Ich will mich nicht mehr quälen,
Sonst könnt' ich viel erzählen
Von all den neuen Sitten;
910   Ich bin heut viel geritten,
Muß schlafen, Ruhe tut mir not.«
      Da taten sie, wie er gebot.
Bettücher waren dort noch fremd;
Doch schwang ein neugewaschen Hemd
915   Ihm übers Bett der Schwester Hand.
Er schlief, bis hoch die Sonne stand.

      Und dann? Nur billig ist's und recht,
Daß unser junger Ritterknecht
Auskrame jetzt und bringe
920   »Von Hofe« lustige Dinge
Der Schwester und dem Elternpaar,
Er, der so lange ferne war.
Und wirklich hatt' er es bedacht.
Vernehmt ihr, was es war, ihr lacht.
925   Dem Vater bracht' er einen Stein
Zum Wetzen; bessern hat noch kein
Mähder in seinen Kumpf gesteckt.
Und eine Sense: gleich gut streckt
Wohl keine zweite hin das Gras.
930   Hei, welch ein Bauernkleinod das!
Dazu ein Beil bracht' er ihm mit,
So trefflich, wie es wohl kein Schmied
Geschmiedet seit geraumer Zeit,
Samt einer Hacke scharf und breit.
935   Den feinsten Fuchspelz, weich und warm,
Legt er auf seiner Mutter Arm;
Er zog ihn einem Pfaffen ab.

---

915 Das Bett ward in jener Zeit zumeist auf dem Fußboden, mit
Polstern und Kissen, hergerichtet.
927 *Kumpf:* das alte Wort für das Horngefäß des Mähers.

Raubt' oder stahl er, was er gab?
Genau gern möcht' ich's künden,
940 Doch konnt' ich's nicht ergründen.
Er nahm es einem Krämer fort,
Was er jetzt überreichte dort
Hochherzig Gotelinde:
Ein seiden Kopfgebinde
945 Samt einer Borte goldbestickt.
Die hätte besser sich geschickt
Für eines Edelmannes Kind
Als für die Schwester Gotelind.
Was er dem Knechte zugedacht,
950 Die Riemenschuh, fernher gebracht,
Verrät so recht den höfischen Herrn!
Für niemand hätt' er sonst sie gern
Geschleppt noch angerührt. Wär' Knecht
Er noch des Vaters, blieb' ihm recht
955 Der andre zehnmal ohne Schuh!
Ein Kopftuch bracht' er und dazu
Ein rotes Band der Magd ins Haar.
Wie nötig das der Dirne war!

III

Abgründe öffnen sich.
Der Sohn reißt auch die Schwester mit

Wie lange, meint ihr wohl, hielt aus
960 Der Bursche dort im Vaterhaus?
Voll sieben Tage sah er fliehn.
Die Zeit ihm wie ein Jahr erschien,
Da still er lag, nicht raubend, zahm.
Plötzlich er wieder Abschied nahm
965 Von Vater, Mutter. Jener sprach:
    »Nicht doch, mein lieber Sohn, gemach!
Getraust du dir, zu leben
Von dem, was ich dir geben
Kann bis zu meinem Ende,
970 So bleib und wasch die Hände
An meinem Tisch: geh aus und ein –
Ach, laß das Ritterleben sein!
Das schmeckt wie Essig sauer.
Lieber bin ich ein Bauer
975 Als solch ein armer Rittersmann,
Der nie sein sichres Brot gewann:
Auf Tod und Leben reiten
Muß er zu allen Zeiten,
Am Abend und am Morgen,
980 Und sich dabei noch sorgen,
Daß seine Feind' ihn fingen,
Verstümmelten und hingen.«
    »Vater«, der Junge drauf versetzt,
»Daß reich du mich bewirtet jetzt,
985 Dafür zoll ich dir immer Dank.
Doch seit ich keinen Wein mehr trank,

Ist's eine Woch' und länger.
Deshalb drei Löcher enger
Zieh ich den Gurt, und Rinder
990 Brauch ich, damit geschwinder
Die Schnall' am frühern Orte stehe!
Eh' ich darf ruhn und rasten, ehe
Mein Bäuchlein neu sich runden kann,
Wird ausgeschirrt manch Pfluggespann,
995 Wird mancher Stall von Rindern leer.
Beleidigt hat ein Reicher mehr
Als andre mich, der mitten
Durchs Saatfeld hingeritten
Des Paten mir; ich selber sah
1000 Den Unverschämten, da's geschah.
Kommt Zeit, so muß mit Haufen
Er mir's entgelten; laufen
Muß seiner Rinder, Schafe
Und Schweine Trupp als Strafe,
1005 Daß meines lieben Paten Saat
Und Arbeit er so schnöd zertrat.
Das ist mir bitter leid. Sodann
Weiß ich noch einen reichen Mann,
Der mich beleidigt ohne Not:
1010 Zu seinen Krapfen aß er Brot!
Ich schwör's, die Schmach zu rächen!
Noch einen Reichen, Frechen
Kenn ich, der mir das schwerste Leid
Von allen zugefügt; es schreit
1015 Zum Himmel; bäte für den Mann
Ein Bischof selbst – nicht nähm' ich's an!«
»Was war es denn?« der Vater drauf.

1010 In lächerlichem Hochmut bauscht Helmbrecht kleine Verstöße
gegen höfische Sitte u. ä. zu Freveln auf, die er zu rächen habe – natürlich nur, um seinen Räubereien einen Schein des Rechts zu geben. Es soll
eine Mißachtung des feinen Gebäcks sein, gemeines Brot dazu zu genießen.
Die Anstandsregeln jener Zeit sind bald in Vers, bald in Prosa immer
wieder niedergelegt worden und so auf uns gekommen, z. B. im »Wel-
schen Gast« des Thomasin von Zirklaere.

»Er tat den Gürtel weiter auf,
Dieweil er saß zu Tische.
1020 Hei, was ich nur erwische
Vom Seinen! Alles nehm ich mit,
Was ihm den Pflug und Wagen zieht.
Helfen soll mir's, ein neues Kleid
Zu tragen in der Winterszeit;
1025 Das will ich wählen mit Verstand.
Was hofft wohl dieser dumme Fant
Und mancher andre, der wie er
Je angetan mir Herzbeschwer?
Ließ' ich das ungerochen,
1030 Was gölte all mein Pochen?
Der blies den Schaum vom Biere fort,
Räch' ich's nicht bald, auf Ritterwort,
Nimmer wär' ich der Frauen wert
Und dürft' auch nimmermehr mein Schwert
1035 Gürten um meine Hüfte.
Bald hört durch alle Lüfte
Von Helmbrecht man erzählen mehr,
Und manches Reichen Hof wird leer!
Find ich den Mann nicht selber dort,
1040 Treib ich doch seine Rinder fort.«
Der Vater sprach: »Jetzt nenne mir
Die andern – ich will's danken dir –,
Deine Gesellen, die dich lehren,
Dem reichen Mann den Hof zu leeren,
1045 Weil Brot er zu den Krapfen ißt.
Wissen ich muß, wem Freund du bist.«
»Mein Leibgeselle Lämmerschlind

1018 f. Tannhäusers »Hofzucht« 5, 125–128 verbietet dies als unziem-
lich, weil es Gefräßigkeit verrate.
1031 Dies wird an der gleichen Stelle Tannhäusers verboten, wie auch
im Liederbuch der Clara Hätzlerin in der »Tischzucht«, 2, 71 (ed. Baltaus).
1047 ff. Folgen lauter Räubernamen, nicht erfunden, sondern auch
sonst in Urkunden jener Zeit vorkommend, von den Burschen angenom-
men, ähnlich wie die Mönche Klosternamen bekommen. Schlind oder
Schlund: der die Lämmer verschlingt; Schlickenwidder: der Widder ver-

Und Schlickenwidder Lehrer sind
Gewesen mir, doch nicht allein:
1050   Auch Höllensack und Rüttelschrein
Und Müschenkelch und Kühefraß,
Die haben treulich alles das
Gelehrt, gezeigt mir in dem Jahr.
Die sechs gehören zu der Schar.
1055   Dann mein Geselle Wolfesgaum –
Gibt er der Lieb' auch allen Raum
Zu Base, Muhme, Vetter,
Doch läßt beim rauhsten Wetter
Er nichts zurück an ihrem Leib,
1060   Dem Mann so wenig als dem Weib,
Kein einzig Fädchen für die Scham –
Vor Freund und Feind gleich tugendsam.
        Genosse Wolfesrüssel
Öffnet dir ohne Schlüssel
1065   Schlösser und Truhen wunderbar.
Gezählt hab ich in einem Jahr
An hundert Kasten, stark und groß,
Bei denen seitwärts sprang das Schloß,
Wenn er ihm nahte, ohne Mühe.
1070   Die Rosse, Ochsen und die Kühe,
Die er vom Hof getrieben,
Sind ungezählt geblieben:
Sobald er trat dem Tore nah,
Das Schloß hinweg er springen sah.
1075   Noch ein Kumpan zu nennen bleibt,
Der sich mit stolzem Namen schreibt.
Den wählte recht nach Rittersinn
Ihm eine reiche Herzogin,
Die edle, hohe, freie

schlingt; Höllensack: der einen Sack so weit wie die Hölle hat; Rüttelschrein: der die Schränke oder Truhen durchwühlt; Müschenkelch: der
Kelche zerschlägt; Kühefraß: der Kühe raubt; Wolfesgaum: Wolfskehle,
Wolfsgurgel; Wolfesrüssel: Wolfsschnauze.
   1069 u. 1074 Auf zauberische Weise.

1080 Von Nonarre Narreie.
Er nennt sich nämlich Wolfesdarm.
Ob's draußen kalt nun oder warm,
Des Raubs bekommt er nie genug;
Ihn labt ein jeder Diebeszug,
1085 Den Nimmersatt. Vom bösen Pfad
Nie fußbreit er auf guten trat.
Es lechzt sein Herz nach Übeltat
Gleichwie die Krähe nach der Saat.«
    Der Vater sprach: »Noch sage mir,
1090 Wie die Genossen rufen dir,
Wie du mit Namen wirst genannt.«
    »Ich bin als Schlintesgäu bekannt
Und schäme mich des Namens nicht.
Komm ich den Bauern zu Gesicht,
1095 Vater, die ringsum angesessen,
Nicht freut sie's: ihre Kinder essen
Heut notgedrungen Wasserbrei!
Sie selbst erfahren allerlei
Noch herberes Leid: dem einen drücke
1100 Das Aug' ich aus. Dem andern rücke
Ich derb die Fäuste in den Nacken.
Ameisen laß ich diesen zwacken,
Den ich in ihren Haufen zwang.
Die Locken zerr ich mit der Zang'
1105 Aus seinem Barte jenem dort.
Dem reiß ich ratsch die Kopfhaut fort.
Dem da zerhau ich die Gelenke.
Den dort ich in die Schlinge henke
Hoch im Genick mit kurzer Pein.
1110 Der Bauern Hab und Gut ist mein.

1080 Diese Herzogin von Narrenland scheint der Genossen würdig gewesen zu sein; vgl. das Narragonien im »Narrenschiff« des Sebastian Brant.
1092 Schlingdasland, der dem ganzen Gau oder Bezirk Gewalt antut.
1097 Weil er ihnen alle Milchkühe weggenommen hat. Nur sehr arme Leute rühren das Mus statt mit Milch mit Wasser an.

Laß unser zehn nur reiten
Und zwanzig mit uns streiten,
Ja wären ihrer noch weit mehr –
Geschehen ist's um ihre Ehr'!«

1115   »Mein Sohn, die du mir da genannt,
Die besser dir als mir bekannt –
So wild sie auch, Gott kann's ersehn,
Daß blindlings alle gehn und stehn
Ganz nach des Henkers Wink und Wahl,
1120   Und wäre dreifach ihre Zahl.«

   »Vater, was ich bisher getan –
Und träten bittend auf den Plan
Jetzt Kön'ge –, nie mehr will ich's tun!
Hab manche Gans und manches Huhn,
1125   Hab Rinder, Käse, Futter
Geschützt dir und der Mutter
Vor der Genossen gier'ger Schar.
Ich tu es fürder nicht, fürwahr!
Ihr greift mit Worten allzusehr
1130   An tapfrer Leute Mannesehr'!
Stehlen und rauben Geld und Gut –?
Kein einz'ger daran übel tut!
Hättet Ihr uns nicht so geschmäht
Und schwätzend Euch ob uns gebläht,
1135   Gerne dem Freunde Lämmerschlind
Hätt' Eure Tochter Gotelind
Zur Gattin ich gegeben.
Ihr wär' das beste Leben
Erblüht, das je auf dieser Erd'

1118 f. Nach dem Volksglauben haben die Schergen die Macht, Verbrecher »anzubinden«, d. h. zauberhaft zu beeinflussen, so daß sie sich nicht mehr von der Stelle bewegen können oder jedem ihrer Winke folgen müssen.

1132 Beute zu machen und zu vergewaltigen hielten die Raubritter für ihr gutes Recht, Ritterrecht. »Früher war das Turnieren ritterlich, jetzt ist's rinderlich«, spottet Ottokar von Steier, im Hinblick auf den Zweck, zu dem der jetzige Ritter in den Sattel steigt, und auf seine rohe Kampfesweise.

1140 Beim Mann dem Weibe ward beschert.
Vom Besten aus der Kirche Schreinen
Gäb' er an Pelzwerk, Mänteln, Leinen
Ihr dar als überreichen Hort,
Hättet Ihr ein so scharfes Wort
1145 Nicht gegen uns gesprochen.
Ja, wenn sie alle Wochen
Begehrt' ein frischgemästet Rind,
Stets hätte das die Gotelind!

Jetzt hör mich, Schwester Gotelind!
1150 Als mich zuerst Freund Lämmerschlind
Um deine Hand bat, sprach ich froh:
›Ist's dir und ihr vom Schicksal so
Bestimmt, so braucht's dich nie zu reun.
Sie wird gar sorglich dich betreun,
1155 Ich weiß es; sei drob ohne Angst.
Nicht lange du am Galgen hangst:
Sie streift mit eigner Hand dich ab
Beherzt und zieht dich hin zum Grab
Still an der Wege Scheide.
1160 Weihrauch und Myrrhen beide
Streut sie, des darfst du sicher sein,
Dir alle Nacht bei Sternenschein,
Umwandelnd dich ein ganzes Jahr
Beräuchern wird sie immerdar
1165 Dein schlummerndes Gebeine,
Die Herzensgute, Reine.
Falls dir der Segen widerfährt,
Daß Blindheit nur dir wird beschert,

1149 Der Vater ist verdrossen und tiefbetrübt fortgegangen. Das
Folgende wird unter vier Augen mit Gotelind allein geredet.
1157 *streift:* Wernher schreibt sogar »schlägt«.
1159 Am Kreuzweg pflegten die Hingerichteten begraben zu werden.
1163 Dein Grab zu deiner Seelenruhe umkreisend. Ein ganzes Jahr
gilt noch jetzt in dieser Gegend als die regelmäßige Trauerzeit um einen
verstorbenen Gatten.
1168 Statt gehängt zu werden, als Milderung der Strafe.

Dann führt sie dich von Land zu Land
1170 Auf Weg und Steg an treuer Hand.
Wird abgehauen dir der Fuß,
Die Krücken dann sie bringen muß
Ans Bett dir alle Morgen.
Sei, Freund, auch ohne Sorgen,
1175 Falls man dich zu den Füßen
Noch an der Hand läßt büßen:
Sie schneidet dir bis an den Tod
Getreulich beides, Fleisch und Brot.‹
    Drauf gab zurück mir Lämmerschlind:
1180 ›Nimmt deine Schwester Gotelind
Mich, biet als Morgengabe
Ich ihr die reichste Habe.
Drei Säcke hab ich, schwer wie Blei,
Gefüllt mit Schätzen mancherlei.
1185 Voll findet sie den einen
Von unverschnittnem Leinen,
Die Elle fünfzehn Kreuzer wert,
Wenn man zu kaufen sie begehrt.
Die Gabe wird sie loben.
1190 Im zweiten aufgehoben
Sind zarte Schleier, manches Hemd
Und Röckel. Mangel bleibt ihr fremd,
Werd ich ihr Mann und sie mein Weib.
Mit all dem schmück ich ihren Leib
1195 Alsbald am ersten Tage,
Und mehr noch ich erjage.
Der dritte Sack ist hochgestopft,
Über und über vollgepfropft
Mit feinem Tuch aus Niederland,
1200 Flaumpelz und kostbarem Gewand,
Von Scharlach ihrer zwei bedeckt,
Mit schwarzem Zobel rings besteckt.

1181 *Morgengabe:* das Geschenk, das der Neuvermählten vom Gatten
am Morgen nach der Hochzeit überreicht wird.

In naher Schlucht verborgen
Hab ich's und geb's ihr morgen.‹
1205 So war dir's, Schwester, zugedacht –
Der Vater hat dich drum gebracht.
Jetzt wird dein Leben sauer!
Nimmt dich zur Eh' ein Bauer,
Befällt wie keine dich das Weh:
1210 Da mußt du stampfen je und je,
Mußt hecheln, schwingen, schaben,
Dazu noch Rüben graben.
All dieses hätte dir erspart
Freund Lämmerschlind, wenn dein er ward.
1215 Ach, müßt' es, Schwester, schmerzen
Mich, sollt' an deinem Herzen
Ein ekler Bauer schlummern sacht,
Des Liebe schwer dir, alle Nacht!
Weh deinem Vater, zweimal Wehe!
1220 Mein Vater ist er nicht! Verstehe,
Was ich dir jetzt will klärlich sagen.
Als fünfzehn Wochen mich getragen
Die Mutter, schlich zu ihr heran
Buhlend ein art'ger Rittersmann.
1225 Von ihm ererbt' ich und vom Paten –
Mög' beiden es zum Heil geraten! –,
Dies erbt' ich, daß so stolzer Mut
Befeuert allezeit mein Blut.«
Drauf seine Schwester Gotelind:
1230 »Auch ich bin nicht sein rechtes Kind,
O nein; als auf dem Arm mich trug
Die Mutter, lag ein Ritter, klug
Und stattlich, ihr in Liebe bei.
Daß sie die Kälber hol' herbei,

1234–36 Die Bauern jener Gegend hatten im Walde Holz- und Weide-
recht, ließen dort ihre Tiere ohne Aufsicht weiden und gingen nach
einiger Zeit »ins Kälbersuchen«. Bei diesem Anlaß gab es manches Stell-
dichein zwischen den willfährigen, sich geehrt fühlenden ländlichen
Schönen mit Rittern aller Art.

1235   Die Mutter spät zum Holze ging,
       Wo sie der Ritter traut umfing.
       Daher so hoch mir fliegt der Mut.
       Damit noch alles ende gut,
       Mein lieber Bruder Schlintesgäu,
1240   So sprich mit Lämmerschlind aufs neu
       Und schaff ihn mir zum Manne:
       Dann prasselt meine Pfanne,
       Dann ist gekeltert mir der Wein,
       Gefüllt bis oben jeder Schrein,
1245   Gebraut im voraus mir das Bier
       Und alles fein gemahlen mir.
       Werden die Säcke mir, die drei,
       Bleib ich von allem Mangel frei,
       Hab reichlich stets zu essen
1250   Und Kleider ungemessen!
       Kurz, alles find ich mir beschert,
       Was von dem Mann ein Weib begehrt.
       Auch ich hoff ihm zu leisten voll,
       Was alles füglich haben soll
1255   An einem starken Weibe
       Der Mann. An meinem Leibe
       Blüht, was er wünschen mag zum Glück.
       Mein Vater nur hält mich zurück.
       Wohl dreimal stärker, fester
1260   Bin ich als meine Schwester,
       Da ihrem Gatten man sie gab.
       Des Morgens ging sie ohne Stab
       Und starb noch nicht an jener Not!
       Auch mir bingt's, hoff ich, nicht den Tod,
1265   Es sei ein Unheil denn im Spiel.
       Mein Bruder Freund, führ mich zum Ziel,
       Und was ich dir gesagt, verschweig!

1262 f. Nach der Hochzeitsnacht; sprichwörtliche Redensart, mit der
man wohl junge Frauen neckte.

Mit dir will ich auf schmalem Steig
Hin an der Kienleit' nachts entfliehn,
1270   Und brünstig bald umarm ich ihn.
Ob mich auch drob verbannten
Die Eltern und Verwandten.«
        Vater wie Mutter nichts vernahm
Von diesem Bund. Der Bruder kam
1275   Bald mit der Schwester überein,
Daß sie ihm folge hinterdrein.
        »Zum Weib geb ich dich jenem Mann,
Wie's deinen Vater auch ficht an.
Lämmerschlind wirst in Ehren
1280   Beiliegen du, und mehren
Soll sich dein Reichtum. Willst es du,
Send ich dir meinen Boten zu;
Dem folg! In allen Dingen
Muß es euch zwein gelingen,
1285   Die sich so hold. Zum Hochzeitsfeste
Sorg ich, daß dir zu Ehrn die Gäste
Mit Kleidern werden reich bedacht,
Sei's Wams, sei's Rock; ich nehm's in acht!
        Wohlauf denn, Schwester, rüste dich!
1290   Auch Lämmerschlind bereitet sich.
Behüt' dich Gott; fort will ich ziehn.
Wie mich der Hauswirt, lieb ich ihn –
Mutter, Gott segne fürder dich!«
        Hinritt er seinen alten Strich
1295   Und tat dem Freunde Lämmerschlind

1268 f. Der schmale Steg an der Kienleite ist noch heute vorhanden,
er ist der kürzeste Weg zum Inn. Nordöstlich vom Helmbrechtshof be-
findet sich ein mit Nadel- oder Kienholz bestandener Abhang, Leite,
über welchen ein Fußweg nach der Hochebene führt. In der dortigen
Mundart heißt der Abhang der Keanlei'n, der Steg Keansteg.
1271 f. Anspielung an bekannte Bibelworte.
1285–88 Im Mittelalter war Schenken von Kleidern bei Festen all-
gemeine Sitte. In Helmbrechts Gegend ist es nach Keinz und Baumgarten
noch heute bei Vermählungen in Gebrauch.
1292 Natürlich beißende Ironie.

Den Willen kund der Gotelind.
Vor Freuden küßt' ihm der die Hand
Und um und um gar sein Gewand.
Drauf kehrt und neigt er sich zum Wind,
1300   Der her ihm weht von Gotelind.

        Von Drangsal hört und Schrecken jetzt!
In schwere Kümmernis versetzt
Ward manche Witwe, hart an Geld
Und Gut beraubt, bevor der Held,
1305   Der Lämmerschlind, und sein Gemahl,
Frau Gotelind, im weiten Saal
Auf hohem Brautstuhl saßen.
Alles, was sie dort aßen
Und tranken – rastlos, fieberhaft
1310   Aus weiter Runde ward's errafft.
Herführten's die Genossen
Auf Wagen und auf Rossen
In Lämmerschlindes Vaterhaus.
Sie fuhren ein, sie fuhren aus
1315   Von morgens früh bis in die Nacht.
Als König Artus Hochzeit macht'
Und seine Frau Ginevra nahm –
Sein Fest war gegen dieses lahm!
Nicht von der Luft sie lebten dort.
1320   Als alles fertig, sandte fort
Helmbrecht den Boten, der im Nu
Ihm seine Schwester führte zu.
        Da Lämmerschlind vernommen,
Gotelind sei gekommen,
1325   Alsbald er ihr entgegenging.
Vernehmt auch, wie er sie empfing.

1299 f. Nachahmung eines den höfischen provenzalischen Dichtern ent-
lehnten Ausdrucks (nach Bartsch), z. B.: Laß mich den Wind anwehen,
der kommt von meines Herzens Königin (Herzog von Anhalt).
    1316 Dieser keltische Held ist eine der glänzendsten Rittergestalten
der Sage; seine schöne Frau Ginevra eine Herzogstochter aus Cornwall.

»Willkommen hoch, Frau Gotelind!«
»Gott lohn' es Euch, Herr Lämmerschlind!«
Und heiße Blicke sandten
1330 Die beiden Liebentbrannten
Jetzt zueinander mehr und mehr.
Er schaute hin, sie schaute her.
Mit artigen Worten Lämmerschlind
Schoß Pfeile gegen Gotelind
1335 Voll Übermuts. Und Stück für Stück
Gab sie's nach Weibesart zurück.
  Nun müssen Gotelinde
Wir geben Lämmerschlinde
Und gleicherweise Lämmerschlind
1340 Geben danach der Gotelind.
Auf stand ein Alter, hoch an Jahren,
In solchen Dingen wohlerfahren
Und Wortes mächtig. Dieser Greis
Stellte die beiden in den Kreis
1345 Und sprach zu Lämmerschlinde:
»Wollt Ihr die Gotelinde
Zur Ehe nehmen, so sprecht ›Ja!‹«
»Gerne!« rief laut der Bursche da.
  Jetzt fragt' er ihn zum andernmal.
1350 »Gerne!« tönt wieder es im Saal.
  Zum drittenmal der Alte fragte:
»Nehmt Ihr sie gern?« Der Bursche sagte:
»Bei meiner Seele, meinem Leib,
Ich nehme gerne sie zum Weib.«
1355   Hierauf sprach er zu Gotelind:
»Wollt Ihr zum Manne Lämmerschlind?«
»Ja, Herr, wenn's Gott mir nicht versagt.«
»Nehmt Ihr ihn gern?«, aufs neu er fragt'.
»Ja, gerne, Herr, gebt mir ihn her.«

1337 ff. Erst im 14. Jh. wurde die kirchliche Trauung Brauch. Die hier
so ausführlich und anschaulich geschilderte Art der Vermählung war vor-
her die gewöhnliche; also reine ›Ziviltrauung‹ durch irgendeinen er-
fahrenen Mann.

1360   »Wollt Ihr ihn?« fragte nochmals er.
        »Ja, gerne, Herr; nun gebt ihn mir.«
            Da gab den Lämmerschlind er ihr
        Zum Mann und Gotelinde
        Zum Weib dem Lämmerschlinde.
1365   Dann sangen alle zum Beschluß.
        Der Bräut'gam trat ihr auf den Fuß.
            Schon steht bereit das Essen.
        Wir dürfen nicht vergessen,
        Amtleute zu berufen laut
1370   Dem Bräutigam und seiner Braut.
        Schlintesgäu nahm den Marschallstab:
        Den Rossen reichlich Korn er gab.
        Mundschenk ward Schlickenwidder.
        Wo setzt sich jeder nieder?
1375   Den Platz wies allen Höllensack;
        Als Truchseß, wie zum Schabernack,
        Trug heut er nie genug herein.
        Kämmerer, das wird Rüttelschrein.
        Der Küchenmeister Kühefraß
1380   Teilt' aus die Speisen, so man aß,
        Gebacken wie gebraten frisch.
        Müschenkelch gab das Brot am Tisch.
        Die Hochzeit war gewiß nicht arm!
        Die Wolfesgaum und Wolfesdarm,
1385   Dazu Herr Wolfesrüssel –
        Sie leerten manche Schüssel
        Und manchen bauchigen Pokal
        Bei jenem üppigen Hochzeitsmahl.
        Vor ihnen schwand Pastete
1390   Und Huhn hinweg, als wehte

1366 Zeichen der Besitzergreifung. Noch heute wird der Aberglaube
gefunden, daß wer den andern zuerst auf den Fuß tritt, nachher den
Pantoffel schwingt.
1369 Lächerliche Nachäffung des höfischen Festdienstes: solche Ämter
eines Marschall, Mundschenk, Truchseß und Kämmerer erscheinen sonst
nur bei den prunkvollsten Hofhaltungen. Küchenmeister und Brotmeister
(sonst nirgends erwähnt) kommen hier noch hinzu.

Ein Wind sie von der Tafel fort.
Was aus der Küch' auch auftrug dort
Der Truchseß, jeder schlang's zur Stund'.
Ob wohl nach ihnen noch der Hund
1395   Zu nagen fand am Ochsenbein?
Das konnte nur ganz wenig sein!
Wie sagt doch jener Weise?
»Wen je ich seine Speise
Unmäßig giervoll schlingen sah,
1400   Dem war gewiß sein Ende nah.«
Drum schlangen sie mit solcher Gier.
Es war ihr letztes Mahl allhier,
Da je sie tranken, aßen
Und froh im Kreise saßen.

1402 Ähnlich die Freier der Penelope in der »Odyssee«. Es ist ein
uralter Volksglaube, daß besonders gieriges Essen den nahen Tod anzeigt.

IV

Hochzeit und alles nimmt ein düsteres Ende

1405   An hub im Brautschmuck Gotelind:
»O weh, mein lieber Lämmerschlind,
Mir graust's, wie niemals, heute!
Ich fürchte, fremde Leute
Zu unserm Unheil nahe sind.
1410   Helft, Vater, Mutter, euerm Kind!
Ach, daß ich von euch beiden
So fernhin mußte scheiden!
Aus Lämmerschlindes Säcken
Erwächst mir, fürcht' ich, Schrecken
1415   Und Schaden und Unehre.
Wie wohl daheim mir wäre!
Mein Herz ist schwer, ich ängste mich.
Des Vaters Armut teilte ich
Weit lieber als mit Sorg' und Graus
1420   Des Reichtums Freuden kosten aus.
Schon öfter hört' ich sagen:
Wer zu viel will erjagen,
Dem wenig oder nichts verbleibt.
Zur Hölle, in den Abgrund treibt
1425   Die Habsucht durch der Sünde Macht.
Zu spät, ach, hab ich es bedacht.
Weh mir! Zu schnell folgt' ich hieher
Dem Bruder; Reue drückt mich schwer.«
    So bald erkannte diese Braut,
1430   Daß besser ihr des Vaters Kraut
Geschmeckt an seinem Tische
Als Lämmerschlindes Fische.
    Als nach dem Hochzeitessen

Ein Weilchen sie gesessen
1435 Und von der Braut, des Bräut'gams Händen
Das Spielmannsvolk sich froh ließ spenden,
Da – plötzlich – man den Richter sah
Nahen selbfünft – schon stand er da.
Den Sieg er ohne Müh' gewann
1440 Über die zehn. Wer nicht entrann
Hals über Kopf ins Ofenloch,
Sich unter eine Bank verkroch.
Der sonst alleine vier bestand,
Ließ sich von *eines* Häschers Hand
1445 Hervorziehn bei den Haaren.
Ihr werdet's oft erfahren:
Wie kühn ein rechter Dieb auch sei,
Ja, zwäng' er eines Tages drei –
Doch vor des Richters Angesicht
1450 Erbleicht er und besteht er nicht.
   So wurden schnell gebunden
Die zehn und fest umwunden
Mit Stricken von des Schergen Hand.
Gotlind verlor ihr Brautgewand.
1455 Man fand sie hinter einem Zaun
Gar gottserbärmlich anzuschaun.
Die beiden Brüste hielt verdeckt
Sie mit den Händen, rauh erschreckt.
Ob ihr noch anderes geschehn,
1460 Davon erzähle, wer's gesehn.
   Gott ist ein rechter Wundermann;
An dieser Mär man's sehen kann.
Alleine schlüg' ein Dieb ein Heer,
Vorm Schergen bleibt er ohne Wehr.
1465 Kommt der ihm nur von fern in Sicht,
Sogleich erlischt ihm alles Licht.

1443–45 Alter Volksglaube, auf den schon der Vater Vers 1118 f. an-
gespielt hatte: der Scherge vermag den Verbrecher durch Zauber an die
Stelle zu binden, so daß er nicht entrinnen kann.

Der Wangen Rot wird gelb und bleich.
So kühn er sonst und schnell zugleich,
Ein lahmer Häscher könnt' ihn fassen.
1470 Von aller Kraft und List verlassen,
Wird er im Innersten zunicht',
Sobald Gott selber hält Gericht.
      Nun hört erzählen nebenher,
Wie sich die Diebe schleppten schwer
1475 Zur Richtstatt mit den Bürden,
Daß sie gehangen würden.
Gotlinden kaum es freute,
Als zweier Rinder Häute
Man band auf Lämmerschlindes Hals.
1480 Doch trug der Bräut'gam weniger als
Die andern alle. Ihn zu ehren,
Ließ man geringer ihn beschweren.
Drei struppig rauhe Häute trug
Sein Schwager Schlintesgäu mit Fug,
1485 Helmbrecht. Ein jeder schleppte hin
Die Last dem Richter zum Gewinn.
      Ein Anwalt ward dort nicht gegeben.
Wer noch verlängern will ihr Leben,
Dem kürze Gott das seine!
1490 Also ich's wünsch' und meine.
Des Richters Sinn ist so gestellt:
Gäb' ihm ein wilder Wolf nur Geld,
Der arg der Leute Vieh zerbiß,
Den ließ' – ich weiß es ganz gewiß –
1495 Ums Geld er los schneeweiß und rein.
Das dürfte nie und nimmer sein.
      Der Scherge neun vom Galgen stieß,
Den einen er dort leben ließ –

1473–86 Dieser Absatz ist wahrscheinlich später eingeschoben und
nicht von der Hand Wernhers.
1485 f. Nach Grimms Rechtsaltertümer 637 f. wurde das gestohlene
Gut den Dieben auf den Rücken gebunden. Der Richter durfte es behalten, falls es binnen Jahresfrist vom Eigentümer nicht abgeholt wurde.

Sein »Zehnter« war's, dem Recht getreu,
1500   Und der hieß Helmbrecht Schlintesgäu.
     Was da geschehen soll, geschieht.
Gott selten durch die Finger sieht,
Wenn einer tut, was er nicht soll.
Und Helmbrechts Maß, das war jetzt voll,
1505   Des, was am Vater er gefehlt.
Der Scherge stach ihm zum Entgelt
Die Augen aus. Und nicht genug,
Die Mutter rächt' er, da er schlug
Die Hand ihm ab und einen Fuß.
1510   Deshalb, weil er so schnöden Gruß
Dem Vater und der Mutter bot,
Kam er in Schand' und große Not.
So unwert ihm der Vater schien:
     ›Was schnackt ihr da, Geburekin?‹
1515   Und ›olles dolles Wif‹ er hieß
Die Mutter. Solche Sünde stieß
Ins Elend ihn und tiefe Not
Tausendmal lieber läg' er tot
Als *so* am Leben bleiben
1520   Und sich der Schmach verschreiben.
     Helmbrecht, der Dieb und Blinde
Schied von Frau Gotelinde
An zweier Wege Scheide
Mit reuig bitterm Leide.
1525   Den Blinden bracht' ein Knecht, ein Stab
In seines Vaters Haus hinab.
Der Vater wollt' ihn nicht zu Haus.
Nicht lindernd seine Not, trieb aus
Er ihn mit dieses Grußes Stich:
1530   »Herr Blinder, dieu salue! Als ich

1499 Dieses Recht des Richters, den Zehnten zu begnaden, wird in den alten Rechtsbüchern (Sachsenspiegel, Schwabenspiegel) bestätigt.
1506 f. Von seinem Recht, ein Lösegeld zu erheben, macht der Scherge hier keinen Gebrauch, sondern vollzieht die Strafe besonders streng.
1508 f. Die rechte Hand, den linken Fuß, Rechtsaltertümer 705 f.

Im Schlosse einstmals diente – lang
Ist's her –, da lernt' ich *den* Empfang.
Zieht wieder ab, Herr Blindekin!
Ich weiß ja, Ihr habt ohnehin,
1535 Was nur solch junger Herr begehrt.
In Welschland seid Ihr lieb und wert.
Den Gruß sollt heut Ihr haben –
So grüß ich blinde Knaben.
Wozu noch viele Worte?
1540 Weiß Gott, an diesem Orte
Wird keine Herberg Euch! So räumt
Das Feld, Herr blinder Jüngling, säumt
Euch nicht, sonst bläut der Stecken
Des Freiknechts Euch mit Schrecken
1545 Die Haut, wie niemals kam in Not
Ein Blinder! 's wär' verlornes Brot,
Das ich heut nacht an Euch teilt' aus.
Packt schleunigst Euch zur Tür hinaus!«
»Ach nicht, Herr!« dumpf der Blinde fleht.
1550 »Laßt bleiben mich; ich will Euch, seht,
Noch meinen Namen nennen.
Bei Gott, Ihr müßt mich kennen.«
»So redet und beeilt Euch jetzt;
Es ist schon spät!« wird ihm versetzt.
1555 »Sucht Euch nur einen andern Wirt!
Von mir Euch keine Gabe wird.«
Mit bitterm Leid und tiefer Scham
Es über seine Lippen kam:
»Herr, ich bin Helmbrecht, Euer Kind!«
1560 »So ward der Bursche also blind,
Der stolz sich nannte Schlintesgäu?
Vorm Schergen kennt er keine Scheu
Noch vor der Richter Überzahl,

1533 Der Vater verhöhnt den früher vom Sohn angenommenen vor-
nehmtuenden flämischen Ton.
1562–65 Höhnische Wiederholung früherer ruhmrediger Worte Helmbrechts.

Und kämen immer mehr zumal.
1565 Hei, wie Ihr Eisen fraßet,
Als auf dem Hengst Ihr saßet,
Für den ich meine Rinder
Hergab! Und tappt als Blinder
Ihr heut, nicht das weckt meinen Zorn:
1570 Mich reut mein Lodenzeug, mein Korn;
Das hat verkürzt mein täglich Brot.
Und lägt vor Hunger Ihr wie tot,
Ich gäb' Euch nicht ein Krümelein.
Hebt Euch von hinnen bald feldein!
1575 Und waget nie und nimmermehr
Zu meinem Haus die Wiederkehr!«
Doch neu hub an der Blinde:
»Wenn Ihr zu Euerm Kinde,
Zu mir Euch nicht wollt kehren,
1580 Müßt Ihr doch, Gott zu ehren,
Den Teufel überwinden:
Laßt denn als Bettler finden
Mich Unterschlupf in Euerm Haus;
Helft einem armen Siechen aus!
1585 Gebt mir um Gottes willen hier,
Was sonst an Dürft'gen tätet Ihr.
Gram sind mir alle Landgenossen.
Auch Ihr habt leider mir verschlossen
Jetzt Euer Herz. Mein sicheres Grab
1590 Ist es, laßt Ihr vom Zorn nicht ab.«
Der Bauer lacht', als wär's ein Scherz,
Und doch, es brach ihm fast das Herz.
Es war sein Fleisch und Blut, sein Kind,
Der vor ihm stand verstümmelt, blind.
1595 »Toll durch die Welt rast' Euer Ritt,
Niemals ging Euer Hengst im Schritt,
Immer im Trab und im Galopp.
Manch Herze stöhnt' ob Euch! So grob,
Unheimlich wart Ihr, fühllos hart!

1600   Durch Euch manch Weib und Bauer ward
       Um Hab und Gut gebracht. Sagt frei,
       Ob sich erfüllt nicht meine drei
       Träume an Euch? Noch größeres Weh
       Zum Schaudern schlimm ich vor Euch seh.
1605   Eh' sich der vierte Traum wirkt aus,
       Hebt Euch so schnell Ihr könnt hinaus!
       Knecht, stoß den Riegel, schließe zu;
       Will bleiben diese Nacht in Ruh'.
       Den meine Augen nie gesehn,
1610   Ihn ließ' ich nicht als Bettler stehn,
       Gäb' Herberg' bis zu meinem Tod
       Ihm eh'r als Euch ein halbes Brot.«
          Und alles, was er je getan,
       Vor hielt er es dem blinden Mann
1615   Voll Abscheu. »Blindenknecht, mit Hast
       Weg führ ihn, der dem Licht verhaßt!«
       Er schlug den Knecht. »Nimm hin die Streiche!
       Ich täte deinem Herrn das gleiche,
       Schäm' ich mich nicht, den Blinden
1620   Mit Schlägen abzufinden.
       Wie's mich auch jückt, zu zügeln mich
       Weiß ich, doch kann's auch ändern sich.
       Drum packt Euch endlich ohne Gruß
       Für immer, ungetreuer Russ'!
1625   Nicht kümmr' ich mich um Eure Not.«
          Die Mutter steckt' ihm doch ein Brot
       Lind in die Hand wie einem Kinde.
       Fort humpelte der Dieb, der Blinde.
       Und wo er hinkam querfeldein –
1630   Ihn samt dem Knechte anzuschrein
       Kein Bauer sich's versagt': »Ha, ha,

1624 Russe oder Reuße nennt der Vater den Sohn, »weil er so wenig
als von dem fremdesten Mann von ihm wissen will«, zumal er ja bei
seiner ersten Heimkehr die Heimat verleugnete und alle väterliche Zucht
verwarf.

Dieb Helmbrecht, bist du wieder da?
Hättest geackert du wie ich,
Nicht führte man als Blinden dich.«
1635　　So litt er noch ein Jahr lang Not,
Bis er durch Hängen fand den Tod.
Ich muß erzählen, wie's geschah.
　　　　Ein Bauer ihn im Walde sah,
Durch den er schritt, der Nahrung nach.
1640　Der Bauer eben Reiser brach
Mit andern in der Frühe.
Die beste seiner Kühe
Nahm einst ihm Helmbrecht schnöde fort.
Wie der erblickt den Blinden dort,
1645　Seine Getreuen schnell er bat,
Zu helfen ihm bei rascher Tat.
　　　　»Verlaßt euch drauf«, rief da der eine,
»In Stücke reiß ich ihn«, in kleine,
Wie Staub, ins Sonnenlicht geschnellt,
1650　Wenn niemand in den Arm mir fällt.
Zog er doch mir und meinem Weib
Alles Gewand vom nackten Leib.
Sein Leben dient mir nun als Pfand.«
　　　　Da sprach der dritte, der dort stand:
1655　»Käm' er, statt einzig, auch zu drein,
Ich wollte töten ihn allein.
Arg über meinen Keller kam
Der Lump, und alles drin er nahm.«
　　　　Der vierte, der dort Reisig brach,
1660　Bebte vor Rachgier, als er sprach:
»Ha, ich zerbrech ihn wie ein Huhn.
Mit vollem Rechte will ich's tun.
Er stieß mein Kind gleich einem Pack,

1642　Eine Kuh von sieben Binden, erzählt Werner genauer, eine, die
siebenmal gekalbt hat: an den Hörnern der Kuh bildet sich nämlich bei
jedem Kalben ein Streifen oder Ring, Binde, jetzt Band (Keinz).
1661　Sprichwörtliche Redensart.

Als sanft es schlief, in seinen Sack,
1665 Warf den ins Bett, und als vor Weh
Es schrie, da schüttet' in den Schnee
Er's aus. Nun war's mit ihm zu Ende,
Nahten nicht rettend meine Hände.«
    Der fünfte rief: »Daß der mir heut
1670 Läuft in den Weg – wie das mich freut!
Ich will mein Mütchen kühlen
Und kein Erbarmen fühlen!
Notzucht übt' er an meinem Kind.
Und wäre dreimal er so blind,
1675 Ich häng ihn an den nächsten Ast.
Ich selbst entschlüpft' in höchster Hast
Mit Mühe nur ihm nackt und bloß.
Und wär' er wie ein Haus so groß,
Ich kann mich heute rächen doch,
1680 Da er sich unversehns verkroch
In diesen Wald, den tiefen.«
    »Heran hier!« jetzt sie riefen.
Und gradesweges stürmten alle
Auf Helmbrecht zu mit lautem Schalle.
1685 Als sie mit Schlägen ihre Wut
Gestillt, schrien sie in wildem Mut:
»Gib, Helmbrecht, auf die Mütze acht!«
Und die zuvor des Schergen Macht
Ließ unberührt, die ward zerfetzt
1690 Und greulich zugerichtet jetzt.
Beisammen blieb nichts pfennigbreit
Von der bestickten Herrlichkeit.
Sittiche, Sperber, Tauben
Und Lerchen jetzt verstauben
1695 Im Weg, zerfasert dort und hier,
Die einst der Mütze schönste Zier.
Da lag ein Zäuschen Haargelock,
Daneben seidenes Geflock.
Und redet' ich sonst niemals wahr –

1700 Das von der Mütze und vom Haar,
   Die man dort kurz und klein zerriß,
   Die Mär dürft glauben ihr gewiß.
   Nie einen Kopf so kahl ihr saht:
   Des blonden Ringelhaares Staat –
1705 Zertreten fuhr's am Boden hin.
   Das rührte nicht der Bauern Sinn.
   Sie lassen seine Beichte sprechen
   Den armen Tropf noch, und sie brechen
   Ein Bröckchen von der Erd' ihm ab;
1710 Vorm Höllenfeuer man's ihm gab
   Zur Hilfe. Drauf an einen Baum
   Hängten sie ihn. Des Vaters Traum
   Erwahrt sich, denk ich, nur zu sehr –
   Und damit endet diese Mär.

1715 Kinder, die ihre eignen Herrn
   Bei Vater, Mutter wären gern,
   Die seien durch die Mär gewarnt.
   Von Helmbrechts Großmannssucht umgarnt,
   Werden sie, wenn sie niemand heilt,
1720 Von Helmbrechts Schicksal auch ereilt.
   Auf allen Straßen lähmt' er schwer
   Der Wagen sicheren Verkehr.
   Die Fahrer sind nicht mehr bedrängt,
   Seit Helmbrecht in der Schlinge hängt.

1725 Nun merket auf und seht euch vor:
   Erteilt euch guten Rat ein Tor,
   Dem folgt wie auch des Weisen Rat.
   Ich fürchte, unser Helmbrecht hat
   Irgendwo Schüler, Knechtelein?
1730 Die werden auch Helmbrechtelein
   Und werden gleichfalls euch bedrängen,
   Bis alle in der Schlinge hängen.

1709 Als Ersatz für die Hostie, letztes Abendmahl vor dem Sterben,
ähnlich wie der Wüstensand als Ersatz für das Wasser der Taufe gebraucht wird.

Zum Schluß der Leser wolle flehn
Um Gottes Huld für sich und den,
1735 Der jetzt als Dichter sich bekennt
Und *Wernher* sich, der *Gärtner*, nennt.

NACHWORT

Der seit alters gebräuchliche Titel der Dichtung entstammt
der einen der beiden Handschriften, in denen sie uns über-
liefert ist, der Ambraser in Wien, die den ursprünglichen
Text durchweg am treuesten wiedergibt. Dieser Titel macht
den Vater zur Hauptperson, den einzigen achtbaren, ja vor-
trefflichen Charakter der Erzählung, während der Sohn nur
peinliche oder widerwärtige Gefühle in uns auslöst. Nach
ihm benennt die Berliner Handschrift die Mär.

Ist der Vater die Hauptperson, so verdient es die Erzählung in der Tat, als eine der ersten deutschen Dorfgeschichten
bezeichnet zu werden, wie das seitens mancher Literarhistoriker geschehen ist.

Schon Neidhart von Reuental (gest. um 1250), zu dem
Wernher der Gärtner als zu seinem Meister aufblickt (Vers
159 ff.), leuchtet mit seinen in ›Dörperweise‹ geschriebenen
Liedern tief in das bäuerliche Leben jener Zeit hinein, ebenso
einige der Schwänke des Jahrhunderts, wie sie Friedrich
Heinrich von der Hagen gesammelt, vor allem aber auch der
Ruodlieb, ein Roman des 11. Jahrhunderts aus Tegernsee.

Diesen reiht sich der *Meier Helmbrecht* als die breiteste,
packendste und eigentlichste Bauernerzählung an.

Übrigens will er keine *bloße* Dorfgeschichte sein. Seine
erzieherische Absicht ist so wenig zu verkennen wie bei dem
Meister der neueren Dorfgeschichte, Jeremias Gotthelf. Un-
verhüllt tritt seine Absicht am Schlusse hervor (Vers 1715 ff.),
wo er alle Kinder im Blick auf Helmbrechts trauriges Ende
vor dessen Großmannssucht warnt. Aber schon zu Anfang
fällt der überlegene Spott auf, mit dem er den Gegensatz
zwischen dem Bauerntölpel und seiner schönen Mütze sowie
all den schmucken Dingen schildert, die ihm die unverstän-
dige Mutter und Schwester spenden: diese beiden werden

hier deutlich genug bloßgestellt und im Verlauf der Erzählung ernst gestraft, zumal die Schwester. Die lebenslustige Nonne, der bestechliche Richter, die tief herabgekommenen Adligen jener Zeit, die Weinliebe, die Prunksucht, die Unehrlichkeit, die Falschheit jener Zeit, sie werden scharf gegeißelt. Mit großer Liebe aber wird der Bauernstand vorgeführt, wird seine schlichte Kleidung, gesunde Nahrung, nützliche Beschäftigung hervorgehoben und all sein törichtes Schielen zum Ritterstand hinüber gebrandmarkt (vgl. Vers 1215 ff., 1222 ff., 1231 ff.).

Mit seiner treffenden Beurteilung nicht bloß der bäuerlichen, sondern auch der ritterlichen Verhältnisse, überhaupt der gesellschaftlichen und kulturellen Zustände jener Zeit erhebt sich der *Meier Helmbrecht* hoch sowohl über Neidharts Dörflerlieder als über die meisten deutschen Versnovellen des 13. Jahrhunderts.

Über die Person des Erzählers wissen wir nur das, was er am Schlusse über sich selber sagt, wenn er sich Vers 1735 f. Wernher der Gärtner nennt.

Über seine Heimat, die Zeit und die Umstände seines Lebens läßt sich einiges vermuten; über seine Denkungsart gibt uns seine Dichtung Aufschluß. Es darf heute wohl als gesichert gelten, daß er ein Bayer war und die Landschaft am unteren Inn so genau kannte, als wäre es seine Heimat. Dort muß er also entweder aufgewachsen oder im reifen Alter lange ansässig gewesen sein.

Nach Vers 748 f. war er kein hoher Herr und nach Vers 765 wohl überhaupt kein Herr. Die objektive Betrachtung des Ritterstandes von einst und jetzt, in den Versen 400 ff., 783 ff. u. ö. läßt ebenfalls eher schließen, daß der Dichter diesem Stande nicht angehörte.

Geistlichen Standes kann er, nach Friedrich Panzers zusammenfassender Darlegung[1], schwerlich gewesen sein. So bliebe die Möglichkeit, daß er aus bäuerlichen Kreisen hervorge-

---

1. In der Textausgabe *Meier Helmbrecht* (Altdeutsche Textbibliothek, Halle 1924, 4. Aufl., S. IX ff.).

gangen ist, deren Lebens- und Denkweise er so treffend
schildert. Dann könnte er sich dem fahrenden Volk, den
Spielleuten zugesellt und sich in ihrer bunten Mitte, in dem
vielgestaltigen, überallhin führenden Wanderleben die man-
nigfache Bildung angeeignet haben, die sein Werk verrät.
Gärtner wäre dann sein Spielmannsname, wenn nicht eine
Gärtnerstellung den Übergang vom bäuerlichen zum fahrenden Leben bei ihm gebildet hat.

Die Dichtung dieses begabten und gereiften Spielmanns
scheint vor allem zum Vortrag in Schlössern berechnet. Ge-
rade die schlagende Gegenüberstellung der ehemaligen und
der jetzigen Rittersitten wendet sich an die Adligen. Was er
über die höfische Gesellschaft, ihre Unterhaltung, den Minnedienst, die Turniere sagt sowie über den inneren Verfall des
höfischen Lebens, die vielen schlechten Leute, die jetzt von
den Herren geduldet werden, die um sich greifende Falschheit, Habsucht, Ehrabschneiderei, das alles lag dem Bauern
ferner, es ging den Adel an. Diesen fesselte auf der andern
Seite nicht minder die Schilderung bäuerlichen Lebens, zumal des Versuchs, sich aus dem Bauernstand ins Rittertum
hinüberzuschwingen.

Wernher verrät sich als Menschenkenner, als weltgewandt
und lebenserfahren, mit Sage und Dichtung wohlvertraut.
Er gibt sich als gelehriger Schüler Wolframs von Eschenbach
zu erkennen, wie besonders L. Pfannmüller nachgewiesen
hat. Von eigentlich gelehrter Bildung hingegen läßt er nichts
merken.

Wann hat er gelebt und gedichtet? Zweifellos in der ›kaiserlosen, der schrecklichen Zeit‹, da das Rittertum zerfiel
und das Raubrittertum blühte. Wenn Vers 339 der Kaiser
erwähnt wird, so beweist das nicht, daß noch ein Kaiser auf
dem Throne saß.

Wir mögen unsere Dichtung, im Blick auf die sie umrah-
menden Zeitverhältnisse in den sechziger Jahren des 13. Jahrhunderts, gegen 1270, entstanden denken, ehe ›Kaiser Ru-
dolfs heilige Macht‹ dem Raubrittergreuel ein Ende machte.

Schon ein im Jahre 1283 erklingendes Gedicht von Seifried Helbling zeigt Anlehnung und Anklänge an *Meier Helmbrecht*, vielleicht auch schon die höfische Epik, die der Salzburger Pleier zwischen 1260 und 1280 verfaßte.

Lange meinte man, den Schauplatz der Erzählung östlich der unteren Salzach im sogenannten Innviertel annehmen zu dürfen: hier finden sich die in der Handschrift A genannten Örtlichkeiten Hohenstein, Haldenberg, Wanghausen, Burghausen, Kienleiten[2]. Handschrift B läßt dagegen an den österreichischen Traungau denken. In beiden Handschriften können indes hinter den Ortsangaben auch die Abschreiber bzw. deren Auftraggeber stehen, so daß für die ursprüngliche Lokalisierung wenig gewonnen wäre.

»Das deutsche Mittelalter besitzt«, sagt einer der früheren Erforscher des deutschen Altertums, Franz Pfeiffer[3], »keine zweite Dichtung, die dieser frischen, lebensvollen und ergreifenden Schilderung aus dem Volksleben an die Seite gesetzt werden könnte.« Und Heinrich Kurz, der Schweizer Literarhistoriker, urteilt: »Der Meier Helmbrecht wird kaum von einem andern Gedicht des Mittelalters erreicht. Hier sind wenige Begebenheiten zu einem reichen Leben entfaltet, während es sich bei den Rittergeschichten meist umgekehrt verhält. Die Erzählung ist rasch und lebendig, die Schilderungen sind anschaulich und notwendig zur Charakteristik der Personen und Verhältnisse, die Charaktere sind scharf, natürlich und wahr gezeichnet, die Darstellung ist frisch, lebendig und von echt volkstümlichem Humor getragen. Hier stellt ein Dichter zum ersten Male der phantastischen Poetenwelt die lebendige Wirklichkeit entgegen.«

In der Zeit der Romantik, die so viele Schätze des deutschen Mittelalters aufs neue hob, wurde auch der *Meier Helmbrecht* ausgegraben: 1839 erschien der erste Textabdruck der Handschrift A, von Bergmann besorgt, während

2. Vgl. F. Keinz, *Meier Helmbrecht und seine Heimat.* Leipzig [2]1887.
3. *Forschung und Kritik auf dem Gebiete des Deutschen Altertums*, 1863, Bd 1, S. 5.

von der Hagen für seine *Gesamtabenteuer* die Handschrift B verwertete. Heute findet man, nachdem M. Haupt seine treffliche kritische Ausgabe des Gedichtes hatte erscheinen lassen, den Urtext mit Worterklärungen am besten bei H. Lambel, *Erzählungen und Schwänke*[4], sowie bei Friedrich Panzer, dem auch diese Nachdichtung im wesentlichen gefolgt ist.

Das wertvolle Kulturbild des *Meier Helmbrecht*, das in einer Reihe eigener Untersuchungen beleuchtet worden ist, veranlaßte Gustav Freytag zu einer verkürzten Wiedergabe der Dichtung in seinen *Bildern aus der deutschen Vergangenheit* (2, 55 ff.). Im übrigen erschienen verschiedene Übertragungen in gebundener Form wie auch in Prosa.

Der Forschung bleiben noch mancherlei, vor allem sprachliche Fragen zu lösen; aber so viel ist heute schon, nach bald hundertjähriger Entdeckerarbeit an Wernhers Werk erreicht, daß das alte Gedicht als eindrucksvollstes Denkmal der abklingenden Ritterzeit neue hohe Geltung gewonnen hat.

Johannes Ninck

4. *Deutsche Klassiker des Mittelalters*, hrsg. von Pfeiffer XII, 2. Aufl., Leipzig 1883.

In Reclams Universal-Bibliothek ist außerdem erschienen:
Wernher der Gärtner, Helmbrecht. Mittelhochdeutsch und neuhochdeutsch. Herausgegeben, übersetzt und erläutert von Fritz Tschirch. UB Nr. 9498 [3].